HE BUSCADO Y HE ENCONTRADO

CARLO CARRETTO

HE BUSCADO
Y
HE ENCONTRADO

Mi experiencia de Dios y de Iglesia

5.ª edición

EDICIONES PAULINAS

© Ediciones Paulinas 1983 (Protasio Gómez, 13-15. 28027 Madrid)
© Cittadella Editrice - Asís 1983

Título original: *Ho cercato e ho trovato*
Traducido por *Eloy Requena*
Ilustración cubierta: *Norberto*

Fotocomposición: Marasán, S.A. Juan del Risco, 9. 28039 Madrid
Impreso por Omnia I. .G. Mantuano, 27. 28002 Madrid
ISBN: 84-285-0930-1
Depósito legal: M. 13704 - 1985
Impreso en España. Printed in Spain

Introducción

He buscado y... he encontrado

HACE ALGUNOS AÑOS *vio la luz un libro de Augusto Guerriero (Ricciardetto) titulado "Quaesivi et non inveni", que, traducido en un lenguaje al alcance de todos, significa: "He buscado y no he encontrado".*

Confieso que no fue el libro, bastante inconexo y superficial, lo que me provocó, sino el título, auténtica bomba: "He buscado y no he encontrado".

¿Cómo era posible que ocurriese tal cosa? Porque, evidentemente, el motivo de la búsqueda era Dios mismo.

¡He buscado a Dios y no le he encontrado!

¿Es posible?

Me pareció un absurdo. Prescindiendo de que se contradecía la palabra de Jesús, en la cual creo ciegamente: "El que busca encuentra", me preguntaba: ¿Y qué Dios es ése que no se deja encontrar?

¿Es que juega al escondite?

¿Se esconde justamente de quien le busca honradamente?

Un Dios así no tiene derecho a existir, pues es la negación de su esencia, que es Vida, Luz, Amor.

Además, de él se dice que es el Creador, el Inmenso, el Maravilloso.

Y, por si no bastase, el Admirable y, como dice el rosa-

rio islámico (Subha), *que sabe de ello y lo repite desde hace siglos en la oración: el Rey, la Belleza, el Poderoso, el Grande, el Glorificado, el Magnífico, la Providencia, el Majestuoso, el Sabio, el Espléndido, el Invencible, el Santo, el Omnisciente, el Presente, la Novedad, el Inmutable, el Primero, el Ultimo, el Manifestado, el Testigo, el Fuerte, el Bueno, el Glorioso, el Sublime.*

No, no es posible.

No es posible ponerse al sol y decir: el sol no existe.

Pulsar el botón de un cerebro electrónico y encontrar absurda la respuesta.

Transmitir un impulso magnético a un satélite que te responde al instante con una fotografía o un dato científico que andas buscando, y contentarte con decir: Es un azar.

No, no es posible.

Y entonces me entraron ganas de escribirle a Ricciardetto así:

"Querido hermano, he visto el título de tu libro. ¿Sabes qué he pensado? Que has ido al mar, te has desnudado, has atravesado la playa, has metido los pies en el agua, has seguido andando mientras el agua te llegaba a los tobillos, a las piernas, al pecho, al cuello. Has comenzado a nadar; has querido también intentar nadar bajo el agua. Luego has vuelto a la orilla, te has vestido y has dicho a los que estaban a tu lado: No he visto el agua.

Sé que hay un dicho judío que suena así: 'La última cosa que ve un pez es el agua...' ¡Pero... bueno!

Tampoco el pájaro ve el aire en que vive. Sin embargo, intenta quitárselo..., ¡verás cómo se revuelve!

¿No sabes, hermano, que nosotros somos como los peces y los pájaros en buena parte de nuestra vida, y que, como ellos, sólo advertimos el agua y el aire cuando nos los quitan?

Quizá sea la forma más drástica de revelársenos Dios para respetar nuestra inmadurez. Se deja ver en negativo. No estamos preparados para ver el positivo de Dios. Se necesita tiempo.

6

De hecho, no nos percatamos de su Presencia cuando todo va bien; en cambio, nos estremecemos cuando nos falta o cuando calla.

Me dan ganas de reír ante tu afirmación; aunque es una frase de moda que he escuchado infinidad de veces, pero que no me convence en absoluto.

No pongo en duda tus afirmaciones, ni las afirmaciones de quienes dicen que han buscado y no han encontrado. Pongo en duda tu lenguaje.

¿Qué entiendes por Dios para decirme que no le has encontrado?

Tengo la clara impresión de que estamos ante un falso problema y que el ingente espesor del ateísmo contemporáneo, proclamado con tanta facilidad por las masas, es más cuestión de lenguaje que de realidad. Nos ocurre como en Babel: que ya no hablamos todos la misma lengua.

Tú dices que no ves a Dios, y yo que te veo inmerso en él como un pez en el agua; lo veo.

No damos el mismo nombre a la misma cosa".

Me explico.

ES INDUDABLE *que nos toca vivir en una época de transición de una amplitud y un alcance jamás vistos.*

Lo que está pasando en este siglo reviste unas proporciones jamás experimentadas.

Se dice que hemos llegado a la madurez del hombre, a su época adulta. El pasado, para un muchacho de hoy, está realmente pasado.

Todo se ha vuelto viejo, y las nuevas generaciones tienen que comenzar desde el principio. No hay nada que no sea sometido a una crítica o revisión despiadada. Y no siempre con ánimo humilde y buena intención.

Cuando entro en casa de un amigo y veo a su hijo ante la televisión experimento una extraña sensación de alejamiento y, más todavía, de ser extraño al pequeño.

Y no por mi culpa.

Si le saludo, es él quien frecuentemente no me responde y posa en mí una mirada aburrida como si nada interesante pudiera esperar de mi presencia.

Puede ocurrir también, y no es raro, que a hurtadillas se burle de mí; o, peor, que, armado con un cohete invisible y diabólico, realice el gesto de destruirme con el ademán de los gigantes interplanetarios que atestan su fantasía y su corazón.

Péguy decía que el abismo entre las generaciones de hoy es insalvable; y fue profeta.

Tiempo de electrónica, tiempo de técnica sofisticada hasta lo inverosímil, tiempo de derrumbamiento de los ídolos y, más aún, de todas las ideologías del pasado. Tiempo también de desacralización.

La misma Iglesia, que es el pilar más fuerte y resistente, ante los cambios de la historia, al considerar con las estadísticas en la mano el cambio de las costumbres, se queda sin respiración.

Los más avisados se sienten como un barco en medio de la tempestad y comienzan a pensar en la necesidad de arrojar por la borda una serie de cosas inútiles acumuladas a lo largo de los siglos, para asirse firmemente a lo esencial en espera de que amaine el temporal.

Si tuviese que decir cómo veo al hombre de hoy, sacudido por el oleaje y arañado por los escollos, diría que lo veo desnudo; pero auténticamente desnudo. Terriblemente maduro y adulto, pero auténticamente desnudo.

Y lo mismo que el hombre desnudo intenta cubrirse para sobrevivir, al no encontrar nada a su alrededor se cubre con ropa hecha jirones por la tempestad.

La consecuencia es que el desnudo está mal vestido, con una indumentaria que atufa de vieja y que le queda grande en exceso.

SI ANTES *decía que era cuestión de lenguaje, ahora afirmo que es cuestión de indumentaria; mejor, de lenguaje y de indumentaria, o sea de cultura.*

Muchos, cuando afirman: "No creo en Dios", no saben con precisión lo que intentan decir; y otros, al pensar en Dios, se lo figuran con un vestido anticuado y absolutamente inaceptable para su formación moderna.

Si yo leyese hoy la Biblia como la leía de joven, antes del Concilio, creyendo con escrupulosa certeza que el árbol del edén era realmente un árbol, que la manzana era realmente una manzana, que Adán tenía su tarjeta de identidad en el bolsillo con su nombre de pila y que a su lado estaba su esposa, la señora Eva, que le miraba complacida, la encontraría verdaderamente inaceptable.

¡Cuánto camino nos ha hecho andar el Espíritu, aunque en medio de la tormenta, y qué vestido nuevo nos está preparando para cubrir nuestra desnudez!

Muchos se han quedado con los harapos, perciben el hedor a moho y no pueden soportar el corte anticuado de su cultura religiosa, vestida con las ropas de la abuela.

En resumen, al leer el libro de Ricciardetto y escuchar a los que dicen: "He buscado y no he encontrado", advierto una cosa muy clara: avanzan lanza en ristre contra su pasado.

Se han vuelto maduros; pero los harapos que cubrían su vergüenza y en los cuales habían encontrado escrito: "Dios", son unos harapos extraños que no aguantan ya, que no entienden, como la hoja de parra del edén.

Creen que era realmente una hoja de parra, cuando no era más que una imagen, un signo para explicar ciertas cosas misteriosas.

En mi larga experiencia con los jóvenes he descubierto que su crisis de fe se desarrolla en dos tiempos.

En el primero se forjan la idea de Dios tomando de la cultura pasada todas las imágenes y todas las representaciones de él como si fueran reales. En el segundo borran con rabia las imágenes y las representaciones que se han hecho porque su mentalidad, que se ha vuelto científica y adulta, las encuentra anticuadas e inaceptables.

También a mí me ocurrió lo mismo.

¡Cuánto he luchado contra mi pasado!

¡Cuántos tiros he disparado contra la idea deformada que me había hecho de Dios!

Sólo dejé de disparar cuando ante mí no había ya ninguna imagen.

Ahora ya no disparo, porque no sabría hacerlo.

No veo ya el fantasma que me había formado de Dios, y sólo busco sentir su presencia.

Y me basta.

Y la siento en todas partes, aunque envuelta en un misterio inmenso, sublime, rudo.

La siento en los signos que no permite que me falten y que me anuncian su realidad, como el agua, el sol, la noche, el fuego.

La siento en la historia.

La siento en el silencio.

La gozo en la esperanza.

La aferro en el amor.

Ahora que comprendo, al pensar en Dios me veto toda representación, toda imagen, toda fantasía, y me contento con pensarlo como lo real que me circunda y en lo cual estoy inmerso.

Y lo real está ahí, y me mira con su fuerza, con su belleza, con su lógica, su transparencia, y se impone con tres palabras que no puedo borrar a pesar de toda mi diabólica capacidad racional: la Vida, la Luz, el Amor.

Y también porque estas tres palabras —¡maravilla de las maravillas!— se han convertido en Persona:

La Persona del Padre, que es la Vida.

La Persona del Hijo, que es la Luz.

La Persona del Espíritu Santo, que es el Amor.

Sí, Dios es persona para mí, y no me sorprendo.

¿Acaso no soy yo persona?

Por eso me dice el catecismo que he sido creado a su

imagen y semejanza; justamente porque soy persona y no me puedo negar, como no puedo negar la realidad de mi cuerpo y de mi espíritu donde vivo y que me manifiestan.

Sí, Dios es para mí persona y con él me comunico.

Le escucho.

Le hablo.

Me da paz y alegría de vivir.

Me despierta cada mañana con su palabra (Is 50,4).

Está cerca de mí.

Me consuela.

Me reprende.

Es la almohada de mi intimidad.

Es mi todo.

NO QUIERO *ofender la memoria de Ricciardetto al escribir este libro.*

Le quise y me sorprendió siempre su búsqueda de Dios, aunque demasiado cultural y un poquito pretenciosa.

Ahora está en la Luz.

La noticia de su muerte me sorprendió en Japón, cuando visitaba, un domingo de sol, el templo de Kamakura, a un centenar de kilómetros de Tokio.

Era una mañana maravillosa. Para los japoneses era el día en que se festeja la vida que nace.

Los novios se presentan ante el gran Buda, en la escalinata del templo, llevando a sus novias, vestidas con el lujoso quimono; las madres jóvenes llevaban a su oración al hijo nacido recientemente.

Yo estaba encantado ante tanta belleza y tan gran multitud en oración.

De haber estado conmigo, también Ricciardetto se hubiera conmovido ante tanta vitalidad y esperanza.

¡Mira, le hubiera dicho, cuántos encuentran!

¡Cuántos han encontrado!

¡Mira cómo esperan!

11

¡No temas!
¡Dios es el Viviente!

SI, ES RICCIARDETTO *el que me ha inspirado el*
título de este libro. Pero la idea la llevaba ya dentro de mí
hace mucho.

Diría que nació con mi experiencia de Dios conforme
caminaba con él por los caminos de mi existencia.

He tenido la suerte de vivir a caballo de dos épocas, de
dos tiempos: el de antes y el de después.

Soy lo bastante mayor para haber conocido el tiempo,
diríamos hoy, "pasado". El tiempo del inmovilismo, de la
tradición; el tiempo del "pequeño mundo antiguo", cuan-
do entre el "usted" y el "tú" había todavía espacio para
el progresivo conocimiento de la pareja y cuando los novios
llegaban vírgenes al matrimonio con convicción sentida; y
he estado también lo suficiente entre la turbamulta moder-
na para no escandalizarme hoy cuando veo un alto porcen-
taje de parejas ir a vivir juntas sin ocurrírseles siquiera
casarse... al menos civilmente.

He conocido el Africa del papá, y luego el Africa de
las repúblicas democráticas y populares.

He conocido las pistas de camello y he visto luego a las
grandes sociedades petroleras transformar el desierto en
una babel de dinero y de torpezas.

He tenido también tiempo de oír decir a los moralistas
tradicionales de antes del Concilio, los lefebvrianos, diría-
mos hoy, que se podían cometer centenares de pecados mor-
tales descuidando las rúbricas fijas de la liturgia en latín,
y he visto luego celebrar la misa sin ornamentos, sin cáliz
y con un pañuelo rojo al cuello.

¡Sí; cuántas cosas no he visto!
¡He visto el paso!
¡El cambio de costumbres!
¡Los tiempos nuevos!

¡Pero también he visto el Concilio!

Para mí, aquella inmensa asamblea de obispos en torno al papa Juan y al papa Pablo ha sido la prueba más grande de la presencia del Espíritu en la Iglesia católica de hoy.

¡Ninguna otra Iglesia ha sido capaz de hacer algo así!

Ha sido como la vuelta a la Jerusalén del primer concilio con Juan, Santiago, Pedro y Andrés.

Ha sido la piedra angular sobre la cual construir el mañana; la piedra miliar desde la cual partir para recorrer los caminos del mundo de hoy.

SI, DEBO AFIRMARLO. *Hay un cambio radical y hay una estabilidad más radical todavía.*

El cambio está en la cultura y en las costumbres; la estabilidad está en la fe.

El cambio está en el mundo, que una vez más se ve pagano; la estabilidad, en la Iglesia, que se siente pronta a repetir el anuncio de la salvación.

Estamos como al principio.

Estamos como los primeros cristianos.

Estamos en las pequeñas comunidades evangélicas.

Estamos en los tiempos apostólicos.

CUANDO COMIENZA *una época, cuando un hombre comienza de nuevo, el primado le corresponde a la fe.*

La cultura, aunque impregnada de fe, llega luego.

El hombre no sigue a Cristo en la cultura; lo sigue en la fe.

Cuando Pablo, ante los cultos de Atenas, quiere dárselas de culto, hace un agujero en el agua. No repetirá más la experiencia, contentándose con anunciar a "Cristo y a Cristo crucificado" (1 Cor 2,2).

Es extraño, pero es así. Entre fe y cultura se da un continuo casarse y divorciarse.

Es la debilidad del hombre en la tierra; es la incapacidad de encerrar en dimensiones visibles lo invisible y de dar un continente a lo que el mundo entero no puede contener.

En el intento —tan fatal para nuestra necesidad de conocimiento— se hace la historia, se reviste el éxodo espiritual y eterno de las continuas contradicciones de nuestros éxodos terrenos, se representa el rostro de Dios con la horrenda deformación de nuestros corazones enfermos, se cubre la luz con las sombras de la no-luz.

Por algo la historia del hombre es una continua y enorme deformación de la Verdad y la limitación desconcertante de su incapacidad de amar.

Es la agonía de las generaciones en camino, es el signo de su pobreza radical para vivir lo divino, es el éxodo eterno del hombre.

Quizá por encontrarme a caballo de dos épocas, quizá porque estaba sediento de absoluto, más seguramente por haber recibido su llamada, sentí en la crisis la necesidad de huir.

No tenía ningún deseo de ponerme a reconstruir las casas derribadas de mi cultura y rehacer la unidad de mi espíritu quedándome donde estaba, como me lo pedían con insistencia los más.

Había demasiadas ambigüedades entre piedra y piedra de la vieja ciudad.

Tenía ganas de huir, sed de silencio y de oración.

Me atraía la fe desnuda y me parecía la única áncora de salvación para mi espíritu cansado.

Cualquier revestimiento cultural de la Palabra se me antojaba deformación.

Cualquier intento de compromiso, debilitar el impulso a seguir a Cristo crucificado.

Todo rito, especialmente si era ampuloso, una retórica ante el sufrimiento de los hombres.

El desierto, el auténtico, el de los aullidos de los chaca-

14

les y las noches estrelladas, fue el ambiente de mi encuentro con Dios.

No buscaba ya los signos milagrosos o míticos de su acción; buscaba la desnudez de su presencia.

No quería ya razonar sobre él; quería conocerle.

No perseguía ya aquella relación con él que tantas veces había disfrutado en la liturgia dominical, que tan fácilmente te da la ilusión de estar en regla con el culto y los ritos, sino que deseaba su intimidad en la desnudez de la materia, en la transparencia de la luz, en el esfuerzo de amar a los hombres.

Buscaba al Dios de los siete días de la semana, no al Dios de los domingos.

No fue difícil encontrarlo, no.

No fue difícil, porque él ya me estaba esperando.

Y lo encontré.

Por eso afirmo con alegría y me atrevo a testimoniar ante mis hermanos en el Espíritu: "He buscado y he encontrado".

CARLO CARRETTO

EXPERIENCIA
DE DIOS

La primera
experiencia de vida

NACI EN ALEJANDRIA... por casualidad.

Esa ciudad no tiene nada que ver con mi familia, que tenía su verdadero tronco, sus raíces profundas, en las colinas de Le Langhe, donde mi padre y mi madre llevaban vida de campesinos y tenían en su sangre toda la dulzura, la fuerza y la religiosidad de aquella tierra maravillosa.

Alejandría fue el atracadero provisional de mis padres, entonces un joven matrimonio, que dejaban su tierra por motivos de trabajo, quedando a sus espaldas la civilización campesina de la que, a Dios gracias, habían disfrutado durante generaciones y generaciones y que aún llevaban consigo junto con los pocos enseres heredados de los genitores, que permanecieron allá arriba en espera de extinguirse dulcemente como la luz en una puesta de sol de otoño.

Sobre este emigrar de una joven familia quiero decir algo que acude a mi mente cuando pienso en las innumerables emigraciones provocadas por el paro, por la necesidad y a veces por cataclismos imprevistos, como riadas o terremotos.

Me contaba mi padre que, un año verdaderamente nefasto para el campo, había caído granizo en la zona con inaudita violencia, destruyéndolo todo. Lo peor fue que el desastre no se produjo en agosto, cosa bastante habitual en la región de Le Langhe, afectando a los viñedos, sino en junio, cuando no solamente están en peligro las viñas, sino que aún se encuentran las mieses en el campo.

En resumen, aquel año el granizo lo había destruido todo: trigo y uva, maíz y hortalizas.

No quedó nada.

Mi padre me refería que, ante el desastre, los jóvenes de la región se habían reunido, decidiendo bajar al llano en busca de trabajo. Sabían que la siega del trigo empleaba mucha mano de obra y que encontrarían trabajo en seguida.

Prosiguió mi padre —recuerdo todavía su voz—: "Partimos al atardecer y caminamos toda la noche, recorriendo a pie sesenta kilómetros que nos separaban del llano, donde había grandes fábricas y el trabajo abundaba".

En mi mente quedó grabada la estampa de aquella cuadrilla de jóvenes, que no cede ante la adversidad y que camina con esperanza hacia un mañana fatigoso y rudo.

Aún recuerdo como si fuese ahora la expresión de mi padre, que añadió: "Fíjate, Carlo: después de haber caminado toda la noche, al amanecer comenzamos a segar en los campos como si hubiésemos dormido tranquilamente en nuestra cama".

¡Qué tipos, muchachos!

Yo miraba a mi padre con admiración y lo sentía cercano y grande justamente en su función de padre que, con el relato mismo de su duro pasado, me iba transmitiendo algo muy importante: el sentido del valor y de la esperanza.

No se preguntaba mi padre si existía un Dios capaz de dejar pasar en silencio el sufrimiento de los hombres o distraído e insensible hasta el punto de permitir

20

cataclismos y granizadas sobre la cabeza de los desgraciados.

No, no se lo preguntaba. Para él y para mi madre, el Dios que existía era el Dios de la esperanza, el Dios que te obliga a levantarte de los escombros del terremoto o, empobrecido por el azote del granizo, te impulsa a comenzar de nuevo desde el principio, sin andar con tantas quejas, esforzándote por encontrar en ti la fuerza para reanudar el camino y sin esperarlo todo de los demás, como algo obligado; pero, sobre todo, liberándote de la amargura que puede dejarte la visión de las injusticias o la sorpresa de no ser ayudado.

El Dios de mi padre era el Dios de la vida, presencia siempre presente, siempre viva y operante en ti.

Era el Dios que no te autoriza jamás a cruzarte de brazos desesperado, y que no te permite decir: "Se acabó todo".

No es cierto que esté todo acabado; todo cambia... Y tú has de disponerte al cambio, aunque se te presente duro y, sobre todo, incomprensible.

¡Quién sabe si este cambio, esta novedad, no ha de traerte algo bueno!

De hecho...

JUSTAMENTE en el desastre se produjo la novedad, lo imprevisible.

Y ciertamente no fue algo indiferente y sin importancia para la historia de mi familia.

Mi padre, en efecto, concluía el relato diciéndome que, a causa de aquella desgracia, había quedado impresionado y que había madurado en él la idea de dejar la región para buscar trabajo en otra parte.

Se lo dijo a mi madre, que también lo aprobó.

Participó en un concurso de los Ferrocarriles del Estado, y así fue como llegamos a Alejandría, donde nací yo y, dos años después, mi hermano. Desde allí salimos para Turín, donde nos esperaba un ambiente mucho más apropiado para la formación de nuestra adolescencia de pobres. Era un barrio periférico y animado de la ciudad, donde había de todo, pero especialmente lo que nosotros necesitábamos.

Que el granizo había sido una desgracia, era un hecho; pero este hecho fue a su vez la causa de que fuéramos a parar a aquel barrio, donde pudimos encontrar muchas amistades jóvenes y, lo que para nosotros fue el colmo de la fortuna, un pequeño oratorio de Don Bosco.

¡Qué no significó para nosotros aquel oratorio!

¡Qué no significó para mi madre aquella pequeña iglesia de la calle Piazzi, donde iba a rezar y a adquirir fuerzas!

Aquí está el misterio de la historia de nuestra salvación; el misterio de nuestros continuos éxodos, de aquel caminar y caminar, invitados y empujados por una fuerza a la que llamamos, cuando no la conocemos, destino, pero que definimos más tarde con claridad y conocimiento de causa voluntad de Dios.

¿Creéis que todo forma parte de un plan, de un designio, de una intervención de Dios en nuestras cosas? Yo creo y estoy convencido de que el amor de Dios sabe transformar la oscuridad de un desastre o lo absurdo de un terremoto en un acontecimiento que puede influir y hasta cambiar nuestra vida.

Desde luego, la nuestra cambió; y para bien.

El habernos encontrado en nuestra adolescencia en un lugar tan propicio para el desarrollo de nuestra fe y tan rico en encuentros estupendos significó para nuestra familia de emigrantes una poderosa ayuda para ser más socialmente adultos, más abiertos al bien.

Allí nació la vocación misionera de mi hermano, y más tarde la orientación religiosa de mis hermanas, que condujo a ambas a la consagración.

22

Cuando, años más tarde, al estudiar filosofía, me topé con un texto de san Agustín: "Dios no puede permitir el mal sino por la posibilidad que tiene de transformarlo en bien", en el fondo de mi experiencia acudieron a mi mente las palabras de mi padre.

La frase de S. Agustín me pareció más verdadera.

QUE MI FAMILIA era cristiana es un hecho. En ella nací a la fe, aprendí a rezar de pequeño, a tener temor de Dios, a frecuentar la parroquia, a no blasfemar, a participar en las procesiones y a construir el pesebre al acercarse la Navidad.

Pensando en mi religiosidad infantil, ciertamente tradicional y un tanto estática y escasa de fermentos creadores, no puedo dejar de ver en ella valores sumamente válidos.

Todavía hoy me impresiona la unidad que suscitaban en mí fe y cultura, lo humano y lo divino, oración y paz, iglesia y familia, fantasía y realidad, Dios y hombre.

Todavía no había leído el Génesis, donde se cuenta que Dios pone al hombre en el jardín del Edén para cultivarlo y guardarlo; pero me sentía en el jardín que él me había dado, en el espacio de esta tierra mía, de esta vocación mía; e intuía la relación con él, que se paseaba bajo los árboles del jardín desvelándome paulatinamente su invisible presencia.

Todavía no conocía a Jeremías, que me cuenta la historia del alfarero que plasma la arcilla y vuelve a comenzar sin cansarse el vaso que se rompe en sus manos, modelando con la misma arcilla otro nuevo (Jer 18). Pero me sentía en las manos de un Dios que nos rehace continuamente y que no se cansa de cambiar el proyecto que tiene sobre nosotros cuando le resistimos con la pobreza y la fragilidad de nuestra arcilla.

Sí, mi familia me ayudó a echar las bases de mi fe y de la esperanza; y siento inmensa gratitud hacia aquella tierra de Le Langhe, donde mamé la vida y donde los campesinos tenían al alcance de su mano el calendario de los santos, y marcaban el ritmo de las estaciones con las grandes fiestas religiosas, y sabían arrojar la semilla en el surco invocando a santa Lucía y a san Roque, con la certeza de que existe un lazo entre el cielo y la tierra, entre la lluvia y la oración, entre la felicidad de la mesa y del lecho nupcial y la ordenación divina.

Jamás proclamaremos suficientemente la importancia de la religiosidad popular, infundida en la carne y la sangre del hombre pobre y madurada lentamente con la historia de las generaciones, aunque sea, y es natural, entre la confusión y las sombras de su poquito de superstición, pero dominada siempre y envuelta en un misterio único, inmenso y solemne: el de Dios.

¡Qué fuerza!

¡Qué poesía!

¡Qué fuente de valor y de auténtico heroísmo!

Hoy, precisamente porque muchos carecen de ello, corrompidos por la riqueza de la vida demasiado cómoda, podemos valorar el peligro y la gravedad de su falta.

¡Cuántos jóvenes inseguros y sin rumbo!

¡Cuánta tristeza en las casas vacías de lo divino y empobrecidas por la falta del misterio!

Sí; con frecuencia la experiencia me ha hecho pensar que, de no haber existido Dios, nos hubiéramos visto forzados a inventarlo, porque sin él y lo que él representa no conseguimos vivir y tropezamos ya con dificultades en los primeros vagidos y al dar los primeros pasos. Sin la fe en Dios es como si habitásemos en una casa sin techo o quisiéramos leer de noche sin luz.

Pero a Dios no es preciso inventarlo porque ya lo está, y se encuentra tan cercano que podemos sentir su respiración cuando callamos o rezamos.

Ciertamente existen problemas de visibilidad; pero

éstos no dependen de él, sino de nuestras infinitas complicaciones.

Dios es simple; nosotros le hacemos complicado. Está cercano, pero nos lo figuramos lejano. Está en lo real y en los acontecimientos, pero nosotros lo buscamos en los sueños y en las utopías imposibles.

El verdadero secreto para entrar en relación con Dios es la pequeñez, la simplicidad del corazón, la pobreza de espíritu; cosas todas ellas frustradas en nosotros por el orgullo, por la riqueza y por la astucia.

Ya lo había dicho Jesús: "Si no os hacéis como niños..., no entraréis" (Mt 18,3); y no bromeaba ni se burlaba.

Ver o no ver a Dios depende de nuestro ojo; si el ojo es sencillo lo ve; si es un ojo con malicia no lo ve.

Mi suerte fue nacer en un pueblo pobre y entre aquella gente maravillosa del campo, impregnada de simplicidad y pequeñez.

Mi padre y mi madre eran pequeños, pequeños, y estaban hechos expresamente para creer y esperar. Yo me encontré con mi mano entre las suyas.

Así todo fue más fácil.

¡Cómo me he sentido en paz con ellos y qué serena ha sido mi infancia!

Es como si hubiera entrado en una gran parábola, donde Dios era de casa y yo estaba siempre con él. Si por distracción o superficialidad me olvidaba alguna vez de él, el dolor o el misterio se preocupaban de recordarme su presencia.

Pero, sobre todo, eran los acontecimientos los que poco a poco lo unificaban todo. Por supuesto, el misterio seguía rodeándome, y hasta se volvía más denso según crecía o intentaba comprender.

¡El misterio!

El era como el vientre de la madre que me llevaba y me engendraba a la vida, en aquella penumbra tan discreta y dulce de sus entrañas.

¿Qué hay de más real y más simple que el vientre de una mujer que lleva a su hijo?

Pero ¿qué hay de más misterioso e incomprensible si te pones a razonar sobre el cómo, el porqué y el cuándo?

SI, EL SECRETO es ser niños.

En el niño hay una intuición básica dada por Dios mismo.

Dios le da la vida al hombre, le da el pan para sostenerlo y le da esta intuición que es la fe para guiarle e iluminarle el camino.

Y la da a todos.

¡Todos!

No se la da solamente a los judíos y a los cristianos, sino a todos, a todos, a todos.

Se la dio a Pablo cuando decía: "En Dios vivimos, nos movemos y existimos" (He 17,28); me la ha dado a mí dos mil años después de Pablo; se la da a todos los hombres que viven bajo las tiendas del Islam; se la da a los hindúes que nacen a las orillas del Ganges, y a los budistas del Nepal o de China.

Dios es el catequista del mundo; y su Espíritu, que es amor, derriba todas las fronteras y llega hasta los hijos que ha creado, y que son suyos y a los que no puede olvidar.

Desde que conozco a Dios sé que él no puede olvidarse de nosotros y que nos enseña el catecismo aunque vivamos en una tierra lejana, adonde jamás llegará ningún misionero para hablarnos de él.

El catecismo de Dios es simple; simple como lo es él, y fundamental para vivir como hombres y realizarnos en la felicidad. Y está en todos.

Vosotros lo conocéis:

Dios es el viviente y es bueno.

26

Dios es el principio y el fin.
Todo lo creado es signo suyo,
pero él está más allá de lo creado;
es el Trascendente.
Las cosas reales son su rostro
y el testimonio de su presencia.
Dios nos habla a través de los acontecimientos,
y la historia es la respuesta a su palabra.
Dios es eterno y nosotros somos eternos en él.
El amor es la plenitud de su ley.
La vida va hacia la resurrección, y los estados
de muerte son los pasos, los saltos de cualidad,
la "presión" para entender la vida. Cuanto
más morimos a nosotros mismos
más nos liberamos de la muerte.

¿DONDE ESTA, entonces, la dificultad?

¿Cómo es posible no creer? ¿Cómo es posible no acoger el don del Padre, que es Dios, a su hijo, que es el hombre?

Juan mismo dice que es posible: "Vino a los suyos, y los suyos no le recibieron" (Jn 1,11).

Sí, es posible, es posible no acoger a Dios; pero eso no depende de Dios, sino de nosotros.

Para acogerle —y no lo repetiremos nunca lo bastante— hay que ser niños y, además, pobres. Jesús dirá que la buena nueva se anuncia a los pobres.

Pero debemos entendernos: ¿qué significa ser pequeños? ¿Acaso significa ser llorosos e inmaduros?

¿Y qué significa ser pobres? ¿Tener los pantalones desgarrados o una casa miserable?

Evidentemente, no. La Biblia se esfuerza en su largo camino en hacernos comprender el significado de estas dos palabras tan importantes en relación a Dios.

Pequeño es el hombre que no tiene seguridades definitivas y que busca en la realidad que le rodea su continua realización.

Pobre es el que no transforma en ídolos las cosas que posee y siente en el fondo de sí mismo que nada conseguirá saciarle sino el Absoluto.

No existe escapatoria; porque lo contrario de la pequeñez es el poder, y lo contrario de la pobreza es la riqueza.

Israel no consiguió comprender a Cristo porque se había encaramado en el poder; y el rico no siguió a Jesús porque idolatraba sus riquezas.

PUEDE QUE alguien sonría ante tanta simplificación del tremendo problema de la fe hoy, rodeados como estamos de una oleada de ateísmo que parece cubrir la tierra misma; por otra parte, quizá alguno permanezca asombrado ante mi afirmación de que la fe en Dios se da a todos como don inicial, lo mismo que la vida, el pan, la respiración.

No pretendo convencer; intento exponer con sencillez mi experiencia de Dios.

Cada uno tiene su camino.

Hay quien ve a Dios como Creador.

Hay quien lo intuye como Ser.

Hay quien lo define como el arquitecto del mundo, el motor inmóvil.

Hay quien ha llegado a él a través de la belleza, la estética, el número, la lógica, lo eterno, lo infinito; y hay quien lo ha sentido como el Otro, el Trascendente.

Si tuviera que decir cómo he llegado yo a Dios, al término de mi existencia terrena, os diría: a mí todos los caminos enumerados me han ayudado, bien en un sentido, bien en otro.

Pero lo que más me ha ayudado, haciéndome salir de la duda sistemática, ha sido la experiencia de Dios.

Cuando alguien, especialmente después de mi vuelta del desierto, me pregunta: "Hermano Carlo, ¿crees tú en Dios?", le respondo: "Sí, te lo digo en el Espíritu Santo; creo".

Y si, picado por la curiosidad, sigue preguntándome: "¿Cuáles son tus credenciales para afirmar una verdad tan grande?", concluyo: "Una sola: creo en Dios porque le conozco".

Experimento su presencia en mí las veinticuatro horas del día; conozco y amo su palabra sin ponerla jamás en duda. Advierto sus gustos, su modo de hablar y, sobre todo, su voluntad.

Pero aquí justamente, en el conocimiento de su voluntad, es donde todo se hace difícil.

Cuando pienso que su voluntad es Cristo mismo y su modo de vivir y morir de amor, lo veo alejarse hasta el infinito de mí.

Dios se vuelve lejano, lejano, lejano, como lo inaccesible.

¿Cómo me las arreglo para vivir como vivió Jesús?

¿Cómo me las arreglo para tener el valor de sufrir y morir de amor como Cristo mismo?

Yo, tan falso, tan injusto, tan avaro, tan miedoso, tan egoísta, tan orgulloso?

Son palabrería nuestras protestas de creer o no creer en Dios.

Es pura especulación, las más de las veces inútil.

Lo que cuenta es amar, y nosotros no sabemos o no queremos amar.

Ahora comprendo por qué Pablo se expresó con tanta energía cuando llegó al punto exacto del problema, explicando a los corintios:

"Aunque yo hablara las lenguas de los hombres y de los ángeles, si no tuviera caridad soy como bronce que suena o como címbalo que retiñe.

Aunque tuviese el don de profecía y conociese todos los misterios y toda la ciencia, y aunque tuviese tanta fe que trasladase las montañas, si no tuviera caridad, nada soy" (1 Cor 13,1-2).

He ahí dónde radica el verdadero problema: corro peligro de no ser nada por no saber amar.

No andéis preguntándoos si creéis o no creéis en Dios; preguntaos si amáis o no amáis.

Y si amáis, no penséis en nada más; amad.

Y amad cada vez más; hasta la locura; la auténtica, la que lleva a la felicidad: la locura de la cruz, que es don consciente de sí y que posee la fuerza de liberación más explosiva para el hombre.

Que esta locura de amor pasa por el descubrimiento de la propia pobreza, la auténtica, la de no saber amar, es un hecho. Pero es también un hecho que cuando llegamos a este límite irrebasable del hombre interviene todo el poder creador de Dios, que no sólo nos dice:

"Yo hago nuevas todas las cosas" (Ap 21,5), sino que añade: "Quitaré de vosotros el corazón de piedra y os daré un corazón de carne" (Ez 36,26).

Por eso cuando amamos experimentamos a Dios, conocemos a Dios y desaparece la duda como la niebla en presencia del sol.

El mal

SI PUDIESEMOS permanecer siempre niños, niños en el Espíritu, todo sería más fácil y la fe en Dios se desarrollaría naturalmente, como crece un árbol, que tiene ya en su semilla el proyecto de su largo futuro.

Porque, tengámoslo bien presente, si es difícil creer, es mucho más difícil no creer.

No es fácil desentenderse con la simple afirmación "no creo" de un hecho tan ingente como el universo entero y permanecer tranquilo sin esperar respuesta ante la tremenda lógica de lo visible.

Nos guste o no, en presencia de lo real tengo que encontrar una motivación plausible; una motivación que aquiete mi sed de conocer.

Entre tanto, lo real está ahí, delante de mí, con su vida que me embiste, con su luz que me envuelve, con su amor que me busca.

Decir "no creo en Dios" termina siendo un falso problema.

Y si Dios fuese precisamente todo lo real, ¿puedo negarlo, decir que no existe, mientras lo estoy viendo, lo toco y lo experimento?

¿Por qué no aceptarlo?

¿Por qué no decir sí a todo lo visible?

¿Por qué no comenzar a enamorarme de ello, a gritar de gozo ante esta realidad vestida de luz y de flores;

a entusiasmarme ante su poder tan desconcertante, a arrodillarme extasiado ante su misterio inefable?

¿Por qué?

¡Cuántas cosas puede decirme este Todo que me envuelve, que me habla con el alfabeto de las estrellas, que me llena de gozo con su fantástica presencia, que me precede siempre y casi me ahoga en el abrazo de su infinitud y con su desconcertante unidad!

¿Es que los hombres de hoy se han vuelto más ilógicos que los hombres primitivos, quienes, enamorados del sol, tan adorable y fantástico, lo adoraban sin dificultad?

¿Acaso se creen más listos por decir no a todo con sarcástica presunción o por mirarlo todo con mirada maliciosa?

Ese es el único modo para no lograr entrar nunca en la verdad; es la forma apropiada para permanecer ciegos, sordos y mudos.

También puedo decidirme a quedarme fuera; pero, desde luego, no es interesante.

Al menos porque resulta enojoso.

Y seguramente carece de alegría y de creatividad...

Y entonces me he preguntado: ¿es posible que sea tan difícil aceptar una cosa tan simple como la idea de Dios?

¿De qué depende esta dificultad para decir sí, un sí gritado por todas las cosas, para aceptar una lógica que rige todas las lógicas, para estar disponible a un amor tan evidente y tan universal?

En esta dificultad he descubierto una presencia terrible, inexorable; una presencia que domina el universo entero y que está en cada uno de nosotros, en lo más hondo de nuestro espíritu, en los meandros ocultos de nuestra alma.

Al considerarlo sientes que esta presencia es inverosímil; y justamente detrás de lo inverosímil le gusta ocultarse para conquistarte con mayor facilidad.

Ni siquiera sé qué nombre darle para no escandalizar a nadie, para no bloquear el camino hacia la fe de nadie. Cuando Pablo VI tuvo el valor de hablar nuevamente de esta presencia denominándola Satanás, muchos se escandalizaron y le acusaron —precisamente al Papa más grande y prudente de nuestro tiempo— de volver a los terrores y a las tinieblas del Medievo.

¿Le llamaré el maligno, el tentador?

¿Y por qué no llamarlo Satanás, como le llama el evangelio (Mt 12,26),

Belzebú, como le llama el mismo Jesús (Mt 12,27),

el diablo (Mt 4,5),

el espíritu inmundo (Lc 11,24),

el demonio (Jn 8,44),

el mentiroso (Jn 8,44),

el homicida (Jn 8,44),

el príncipe de este mundo (Jn 12,31),

el poder de las tinieblas (Lc 22,53)?

Cuando Jesús le preguntó directamente cómo se llamaba, respondió: "Me llamo legión, porque somos muchos" (Mc 5,9).

Nada hay más misterioso que el maligno.

¿Pero acaso es Dios menos misterioso?

Debemos tener el valor de aceptar un poco de oscuridad, aunque teniendo abiertos los ojos maravillados de niños estupefactos ante lo que es luminoso.

Yo no intento comprender; intento creer.

No he llegado a Dios comprendiendo; he llegado a él por la fe.

Lo mismo Satanás. No lo he comprendido; he creído en él.

Y así como en la experiencia tuve la respuesta de la existencia de Dios, así en la experiencia recibí la respuesta de la existencia de Satanás.

Quizá sea mejor no llamarle Satanás por ahora, pues acuden demasiadas cosas a nuestra mente porque estamos viciados por nuestra manía de representarnos cosas que no se pueden representar.

En efecto, dice el Deuteronomio: "No vayáis a prevaricar haciéndoos imágenes talladas de cualquier forma que sean: de hombre o de mujer, de animal que vive sobre la tierra, o de ave que vuela sobre el cielo, o de reptil que repta sobre el suelo" (Dt 4,16-18).

"Puesto que el día que os habló el Señor de en medio del fuego en el Horeb no visteis figura alguna" (Dt 4,15).

Creo que lo mismo vale para Satanás. Intentaré dejarlo tras el velo del misterio, porque nos lo hemos representado con demasiada facilidad y, al representarlo, lo hemos deformado y hecho irracional.

¿Tiene rostro?

¿Carece de él?

¿Tiene cuerpo?

¿Es espíritu?

No lo sé.

Pero he aprendido a sentirlo, a experimentarlo, y no puedo negarlo. De hecho, el evangelio no lo niega, y tampoco yo puedo negarlo.

Siento su presencia de tentador.

¿Cómo obra? No lo sé.

Solamente sé que al mirar al hombre y sus indecibles infamias me parece imposible que sea él solo el que realiza tales crímenes.

El hombre es ayudado por alguien cuando cava en sí el abismo del pecado y llega a la raíz de su desesperación.

Hay alguien detrás de él apuntándole cuando niega la verdad y engaña al amor.

Hay alguien que sostiene el arma cuando tritura al hermano bajo la tortura.

Hay alguien sádico a su lado y capaz de todo cuando un déspota mata de hambre a un pueblo.

Hay un planificador cuando millones de hombres

son exterminados en los hornos de gas y generaciones de niños mueren de hambre entre la indiferencia del poder.

Hay alguien, alguien, alguien.

Y hay alguien también dentro de nosotros cuando ya no sonreímos a la vida, cuando ya no tenemos ganas de construir, cuando no queremos un hijo, cuando amontonamos a los ancianos en los asilos, cuando odiamos al hermano, cuando somos indiferentes ante el que sufre, cuando nos tiramos al suelo sin querer esperar.

Y hay alguien también cuando ante los destellos del hielo y el temblor de la luz sobre el mar permanecemos indiferentes e incapaces de maravillarnos.

Y lo hay también cuando pedimos las credenciales a lo real que nos rodea, gritándole a la cara: ¿Quién eres tú?

¿Has venido a fastidiarme?

Porque sólo yo existo y no tengo necesidad de ti.

No te quiero, Dios, porque tu poder destruye el mío y tu voluntad cercena la mía.

Sí, en el fondo es la misma tentación la que me hace blasfemar en mi locura: "Si tú existes, yo no puedo existir".

¿PUEDO ASOMBRARME todavía de que me resulte difícil creer en Dios?

¿Si tantos hombres gritan en su ignorancia: "Dios no existe"?

¿Si mi noche es oscura, si mi corazón es árido y no sabe amar?

¿Si mi experiencia languidece?

No, no te asombres, alma mía.

No te asombres si a tu tímido y débil sí, con el que pretendes afirmar la existencia de Dios, te responde el eco tremendo y ensordecedor de su "no".

¡No, no existe!

No te asombres si, frente a tu esfuerzo por realizarte en la verdad y en el amor, notas el empujón que te arroja al suelo, vencido por enésima vez.

No te asombres si, a pesar de tu promesa sincera de ser fiel al hombre, te encuentras una hora después como traidor ambiguo, egoísta, cruel, mafioso y camorrista.

¡No te asombres!

Y ni siquiera te asombres cuando, al rezar, tus labios repiten con el salmo: "Mi alma te anhela a ti, Dios mío" (Sal 42,2), y al punto escuchas por respuesta:

"¿Dónde está tu Dios?

¿Dónde está tu Dios?

¿Dónde está tu Dios?" (Sal 42,4.11).

Sí, el maligno, el tentador, es como la metástasis de un cáncer que está en mí y que se desarrolla por todas partes, intentando destruir de raíz todo lo que hay en mí.

Justamente la imagen del cáncer es acaso la imagen más exacta, el signo más "signo" del mal, personalizado en Satanás; de esa tremenda realidad que ha impresionado a las generaciones; continuamente aceptado y negado, y que es imposible definir en su presencia misteriosa, pero real e indiscutible.

Sí, el mal está en mí, y no lo puedo negar.

A veces está tan adherido e identificado con mi realidad, que no consigo distinguir su esencia.

¿Soy yo "cáncer" de mí mismo o hay un cáncer que puedo eliminar y alejar de mí con el bisturí?

La mayoría de las veces lo veo como distinto de mí; le doy un nombre, como se lo da el evangelio, y me bato con él como el enemigo radical.

Es una realidad misteriosa. Prefiere aceptar la palabra de Jesús sin discutir demasiado; de lo contrario, me pierdo en el laberinto de mi razón sin concluir nada.

Además, sé una cosa de él, y por experiencia propia.

Sé que me ataca siempre en el centro de mí, donde se establece mi relación con Dios, intentando destruir la relación y lo que me une a él... la fe, la esperanza y la caridad.

Es una lucha continua como a vida o muerte, y nunca me ha parecido tan real mi pobreza como en esta lucha.

Por eso me compadezco a mí mismo y compadezco a todos los que afirman que no creen o que encuentran dificultad para creer.

Sé lo que eso significa.

Y siento también que cuando las Iglesias insisten en el moralismo y se interesan tanto en catalogar y hacer confesar los diversos pecados "legales", no se dan cuenta de que ponen una venda sobre una llaga, la auténtica llaga.

No, hermanos; el verdadero pecado que hemos de confesar todos los días, hoy especialmente, es nuestro

"no creer",

"no esperar",

"no amar".

Nunca hemos gritado lo bastante nuestra debilidad en la fe, en la esperanza, en la caridad; nunca hemos observado lo bastante la presencia del maligno en esta lucha nuestra.

Otra cosa que intenta hacer el espíritu del mal es romper mi unidad, ponerme en contradicción conmigo mismo.

Por eso se le llama el que divide.

Cuando la profecía me anuncia una verdad sobre Dios, él me la niega inmediatamente sirviéndose de la misma realidad.

Cuando me encuentro con Abrahán en la encina de Mambré y llega el ángel a anunciar que Sara tendrá un hijo, cuando sé que Sara es estéril y anciana, escucho en mí la risa de Sara detrás de la tienda: "No es posible" (Gén 18,9ss).

¡Si Dios escuchase y tuviese en cuenta todas las veces que Sara ríe dentro de mí!

"Dios creó el cielo y la tierra" (Gén 1,1);
y Sara ríe porque no lo encuentra verosímil.

"Y el Verbo se hizo carne" (Jn 1,14);
y Sara ríe ante el misterio de Dios, que se hace visible en la tierra en Cristo.

"Esto es mi cuerpo y ésta es mi sangre" (Mt 26,26.28),
y la risa continúa.

Aquí está realmente la naturaleza del mal: en la capacidad de decir no a la fe, a la esperanza y al amor.

Es el pecado en el que estamos metidos hasta el cuello.

Es el pecado que confieso todos los días, y que todos los días renace en mí.

Es mi pobreza.

Es nuestra verdadera pobreza.

Es nuestra tristeza.

Es nuestra debilidad.

EVIDENTEMENTE, tampoco yo me he librado de esta dolorosa realidad. Después de una infancia serena, vivida casi gratuitamente en mi familia, conocí una adolescencia marcada por la lucha contra la duda y el desfallecimiento de la esperanza.

La inquietud se aposentó en mí, y el eclipse de la alegría fue algo cada vez más evidente.

Supe las cosas prohibidas y su misteriosa atracción.

Mi madre comenzó a decirme que no me replegara sobre mí mismo y a denunciar mis egoísmos.

Algunas veces, al mirarme al espejo descubría mi capacidad de sarcasmo.

En el corazón, de vez en cuando, estallaba la rebeldía.

La familia ejercía cada vez menos influencia en mí.

Andaba vacilando en mi soledad.

ENTONCES SALIO a mi encuentro la Iglesia.

Así como la familia es la primera gran ayuda y el sostén de nuestros primeros pasos, así también la Iglesia es la ayuda y el sostén de todos nuestros pasos, especialmente en la lucha contra el mal.

¿Qué sería la familia sin la comunidad Iglesia?

¿Qué sería Israel sin el pueblo de Dios?

Tan es así, que se ha dicho inteligentemente: "Encontraréis pueblos sin murallas, sin arte; pero no encontraréis un pueblo sin templos".

Mi primer gran templo fue la parroquia, que me acogió de muchacho, de adolescente en crisis, de pequeño en evolución, como antena receptora de todas las realidades hermosas y no tan hermosas de la calle, de la escuela, de la fábrica, de las tiendas, de la comunidad humana en la que estaba inmerso.

¡Qué realidad tan extraordinaria es la parroquia! ¡Aunque sea un tanto patizamba, pobre y anticuada como era la mía!

Todavía no habíamos llegado al concilio; la parroquia era todavía despacho de sacramentos y una amalgama de infantilismo y clericalismo.

Sin embargo, era la sede del pueblo de Dios, y lo que no conseguían los hombres lo hacía el poder del Espíritu y la fe común.

Si yo tenía poca fe, me encontraba con la fe de los demás; si eran muchos los ejemplos poco edificantes, no faltaban nunca los grandes ejemplos de los pobres, de los simples, de los sacerdotes santos.

¡Cuánto he querido y quiero a la parroquia, aunque con frecuencia me escondía detrás de las columnas que sostenían las naves para eludir mi responsabilidad!

La parroquia es como un barco en el mar, una cabaña en el bosque, un refugio en la montaña. Siempre nos ofrece algo, aunque sea vieja y a menudo carezca de líneas o belleza.

Respiras una tradición, aunque con un poco de

moho; absorbes una cultura, aunque un poco estática; encuentras un pueblo, aunque a veces algo cansado.

¿Qué no ha sido la parroquia para nuestras poblaciones? ¿Qué no ha sido la parroquia para los irlandeses, los españoles y los polacos?

Pero también aquí hay que dar un paso adelante. Me explico.

La comunidad
que salva

EN MI ULTIMO viaje por Australia llamó mi atención una lamentación casi general de sacerdotes, y no sólo de ellos: "Padecemos una notable hemorragia de católicos, que se pasan a los Testigos de Jehová. Lo curioso es que el fenómeno afecta justamente a los más religiosos".

Al que me interrogaba sobre el fenómeno, tan manifiesto entre los emigrantes italianos, me permití responderle que la cosa no tenía nada de extraño y que seguiría y se agravaría, a menos que...

A MENOS QUE nos resolvamos a cambiar el sistema los que pertenecemos a las grandes iglesias ricas en tradiciones y en paredes... enormes; paredes que corren peligro de esclerosis o que pueden producir la impresión de vacío.

A mí no me resulta en absoluto extraño que un abruzo o un siciliano, de grandes sentimientos religiosos y con mucha nostalgia de su país, al encontrarse perdido en la nación a la que ha emigrado por motivos de trabajo sienta frío al entrar en una enorme iglesia anónima donde no conoce a nadie, donde las relaciones son relaciones de masa y donde resulta tan difícil reconstruir la unidad y la intimidad.

Lo menos que le puede ocurrir es que haga crisis.

Y si en la crisis se le acerca un testigo de Jehová, que le invita a casa y le pasa a un pequeño local con un grupo de fieles que oran codo con codo, que se llaman por su nombre, que comparten sus bienes; y, sobre todo, le ponen por primera vez delante de un libro misterioso y solemne del que sólo conocía el nombre: "Biblia", y le enseñan a tocarlo, a buscar la página y las citas...

La conquista es cosa hecha. El emigrante volverá a casa y dirá a los suyos: "He encontrado auténticos hermanos", y poco a poco se separará de su vieja y cansada raíz.

Justamente la sed de Iglesia es lo que empuja a los hombres, especialmente a los más pobres, a buscar una Iglesia.

Pero una Iglesia a la medida de su pobreza y de sus necesidades.

Ya no impresiona una Iglesia grande, oficial, solemne, rebosante de culto y fuerza visible, de números.

El hombre de hoy, que conoce la angustia de la soledad, desea una Iglesia que brinde amistad, contactos auténticos, intercambios recíprocos, pequeñas cosas.

Pero, sobre todo, una Iglesia que le nutra con la Palabra; una Iglesia que camine con él tomándole de la mano; una Iglesia con un rostro como el de la Iglesia de Lucas, de Marcos, de Juan; una Iglesia que inicie; una Iglesia que... sepa de orígenes.

He ahí por qué —volvemos a nuestro emigrante australiano—, casi sin querer, se ha encontrado fuera de sus raíces.

Lo cual es siempre algo molesto y a menudo traumático.

Si en lugar del testigo de Jehová nuestro emigrante hubiese encontrado a un focolar, un neocatecúmeno, un militante de Acción Católica, un miembro de la Renovación del Espíritu y, si es chico, un "scout", las cosas hubieran ido de otra manera.

Estos tipos de cristianos le hubieran invitado no a la gélida parroquia, sino a su pequeña sede, pobre, pero cálida en afectos y rica en comunicación vital.

Nadie intenta cambiar de Iglesia si la suya le da lo que busca y lo que ansía: verdad, amor, amistad, comunicación.

PARA MI, la pequeña Iglesia que me ayudó a comprender a la grande y a permanecer en ella fue la Juventud de Acción Católica, la JAC, como se decía entonces.

Me cogió de la mano, caminó conmigo, me alimentó de la Palabra, me brindó amistad, me enseñó a luchar, me dio a conocer a Cristo, me insertó en una realidad viva.

Puedo decir, y creo estar en lo cierto, que así como la familia fue la fuente, así la pequeña comunidad de la Juventud fue el cauce del río en el que aprendí a nadar.

¡Qué ayuda significó para mí la comunidad que encontré!

¿Qué hubiera sido de mí de no haberla encontrado?

Sólo pensarlo me da miedo.

Me dio justamente lo que la familia, ya vieja, no podía darme...

La Acción Católica me obligó a una catequesis nueva, más madura, más en consonancia con los tiempos; me transmitió la gran idea del apostolado de los laicos y me presentó a la Iglesia como pueblo de Dios, y no como la acostumbrada y anticuada pirámide clerical.

Pero, sobre todo, me dio el sentido y el calor de la comunidad.

La iglesia no era ya para mí las paredes de la parroquia, adonde se iba a cumplir obligaciones oficiales, sino una comunidad de hermanos a los que conocía por su nombre y que seguían conmigo un camino de fe y de amor.

Allí conocí la amistad basada en la fe común; la dedicación a un trabajo común, no ya prerrogativa del clero, sino confiado a todos; la dignidad de la profesión y de la familia como auténtica vocación.

Poco a poco la comunidad me ayudó a aceptar mi responsabilidad, me sugirió mis primeros compromisos, me enseñó a publicar diarios y a escribir en defensa de la fe, me dio el gusto por la Palabra y me enseñó a proclamarla en las reuniones públicas.

Y como no estaba preparado para ello, me sugirió siempre la humildad del estudio y la meditación cotidiana de los textos.

A los pocos años estaba cambiado, con el corazón lleno de valores nuevos y con grandes deseos de hacer algo.

Recuerdo que ya no había tiempo libre, porque entre contactos personales y primeros borradores de discursos, entre escribir y viajar, la persona entera estaba ocupada, enteramente ocupada en el ideal encarnado al presente en la vida.

HOY, ALGUNOS de los implicados en los trabajos..., especialmente párrocos u obispos, se quedan sorprendidos y frecuentemente perplejos ante la proliferación de los llamados movimientos o de las comunidades de oración o "espiritualidad". Algunos incluso, sin experiencia del fenómeno y sorprendidos de que pueda nacer algo bueno fuera del cauce oficial, llegan a obstaculizar y a prohibir tales movimientos, no viendo en ellos más que los defectos y, sobre todo, la enervación de la parroquia y de su unidad.

De no ser por su buena fe, estos celosos pastores se merecerían realmente un duro juicio, que no expreso, pero que podéis encontrar, si lo buscáis, en el evangelio, salido de labios del mismo Jesús.

Porque... tampoco Jesús obtuvo permiso de las autoridades oficiales para fundar lo que deseaba.

Pero no quiero entrar en polémicas.

Me contento con afirmar que el nacimiento de los movimientos (enumero unos cuantos al pie de página para no interrumpir el discurso *) es hoy la prueba contundente de la acción del Espíritu Santo y uno de los medios más eficaces para su fecundidad de mañana.

El nacimiento de las comunidades, basadas casi todas en una búsqueda más íntima de la Palabra, en una necesidad ardiente de comunión, en un reparto más moderno de los carismas y de las tareas de evangelización, es señal de la necesidad de hacer que circule en la Iglesia la verdad y el amor, infundiendo en la vieja estructura juventud y fuerza vital.

Una cosa es cierta y manifiesta a todos: el desarrollo de este fenómeno es enorme y constituye un signo de la vitalidad del cristianismo hoy, en respuesta a una necesidad profundamente sentida.

Si yo fuese pastor, hoy no pensaría en bloquear los movimientos de espiritualidad o las comunidades espontáneas por miedo quién sabe a qué, sino que me dedicaría a hacer que surgieran en forma tal que cada cristiano tuviera la posibilidad y sintiera el aliciente de

---

* He aquí algunos: Comunidad cristiana de formación francesa (nacida en 1974); Arche (Francia, 1964); Comunione e Liberazione (Italia, 1954); Comunità di vita cristiana (nuevo nombre de las Congregaciones marianas); Cultura y Fe (Brasil, 1976); Eau vive (Francia, 1967); Equipes Notre Dame (Francia, 1939); Luz y Vida (Polonia, 1964); Movimiento Chiesa-Mondo (Italia, 1976); Movimiento de los Focolares (Italia, 1943); Oasi (Italia, 1950); Renovación católica carismática (USA, 1967); Obra de Schoenstatt (Alemania, 1914); Sodalitium Christianae Vitae (Perú, 1971); Christ-Comunion-Liberation (Uganda, 1970); Pro Sanctitate (Italia, 1947); Iglesia viva (Checoslovaquia, 1964). Y en España: Cursillos de Cristiandad, 1949; Comunidades Adsis, 1962; Comunidades neocatecumenales, 1966; Comunidad "Ayala", 1973; Renovación carismática en España, 1973; Comunidades cristianas populares, 1980.

comprometerse y caminar con el grupo más apto para arrancarle a su soledad. Pero, sobre todo, me preocuparía de que los grupos estuvieran fundados en las grandes ideas madres de la Iglesia de hoy:

— La evangelización.
— El camino de fe.
— La oración.
— La comunicación de bienes.

Es inútil perder tiempo señalando que tienen defectos: que los focolares sonríen demasiado; que los neocatecumenales forman "ghetto" y tienen su liturgia; que los "scouts" pierden el tiempo alejándose de la parroquia para plantar tiendas en los bosques, mientras hay necesidad de catequesis; que los de Comunión y Liberación presentan un corte demasiado encarnado en lo temporal y son un tanto integristas.

Sí, es cierto; ningún movimiento carece de defectos. Pero..., cosa extraña..., son cosas vivas..., tienen el impulso y la fuerza de los ideales, crecen, se los ve, se comprometen y... no se pasan a los Testigos de Jehová.

El único movimiento que frecuentemente se considera sin defectos es el oficial, fundado con todas las unciones de la autoridad. No tiene defectos, pero está muerto; o, si no muerto, es tan triste y aburrido que no tiene más adeptos que los que no pueden menos de estar allí sin ofender a nadie.

Os confieso que, en estos años borrascosos, quien me ha infundido ánimo como Iglesia han sido justamente los movimientos y la comunidad. He visto cientos y miles de ellos, y para mí representan la verdadera vanguardia de la Iglesia.

Así como en el Medievo, Francisco fundaba a los franciscanos y Domingo a los dominicos, hoy Clara Lubic funda a los focolares; Kiko Argüello, a los neocatecumenales, y Eduardo Bonín, los Cursillos de Cristiandad. Y, desde luego, no son fenómenos de menor capacidad y amplitud.

¡Qué fuerza y autonomía en las comunidades de base! Id a Brasil a ver lo que ocurre en las miles de comunidades de base difundidas entre los pobres de los campos inmensos y en las chabolas. Quedaréis sorprendidos.

¿No habéis tomado parte nunca en una tanda de ejercicios organizados por los Cursillos de Cristiandad? Saldréis de ellos impresionados y gustaréis a fondo el significado de la verdadera conversión.

¿No habéis estado nunca en un Focolare de Alemania, Italia, Japón o Hong-Kong? Pasad una velada con ellos y comprenderéis por qué tantos religiosos y religiosas están tristes y melancólicos en sus conventos, mientras que ellos rebosan de alegría y vitalidad.

¿No habéis tenido la suerte nunca de pasar la noche de Pascua con alguna comunidad neocatecumenal, tomando parte en el ayuno con que se preparan todos a la explosión del canto del *Exultet*, que anuncia la pascua del Señor?

Si lo habéis probado, no os quedan ganas de tomar parte en ninguna liturgia entre el frío y la indiferencia de un pueblo sin catequizar, formalista y uniforme.

¿Habéis pasado una mañana de invierno, antes de ir a clase, recitando laudes con un nutrido grupo de Comunión y Liberación?

¿Al subir al autobús ha coincidido a vuestro lado una muchacha de la comunidad de San Egidio, que os habla con alegría de su interés por trabajar en un barrio pobre en favor de los ancianos y de los pequeños perdidos?

¿No habéis pasado una noche entera rezando, apretujados por la multitud en oración del Movimiento carismático, en un clima de fuego por la presencia del Espíritu?

Para mí ha sido siempre una de las más hermosas experiencias de fe durante mis viajes por el mundo. Al salir de estas reuniones no me he preguntado si en el mundo de hoy estaba venciendo el bien o el mal o si tenemos motivos para ser pesimistas respecto a la realidad espiritual y a la vitalidad de la Iglesia.

¡Benditas seáis, comunidades de oración y de fe!

¡Benditas seáis, comunidades de compromiso y de vida!

Vosotras me recordáis a las comunidades primitivas de las cuales nació el cristianismo: las comunidades de Lucas, de Mateo, de Santiago, las comunidades de Pablo y de Diogneto.

Comunidades que se nutrían de la palabra de Dios y que anunciaban la Buena Nueva a los pobres.

Benditas seáis, comunidades de amor, que intentáis seguir el evangelio de Jesús; comunidades que no conozco todavía y que quizá no conozca nunca porque estoy viejo y cansado, pero que con vuestra presencia y testimonio llenáis de alegría mi vida.

Nadie como vosotros me recuerda mi juventud, mi apertura al apostolado, cuando de noche, a la luz de las estrellas, volvía a casa en bicicleta de una reunión de grupos; grupos fundados en todas las partes de la gran periferia, porque la Iglesia no era sólo mi grupo, sino que era como el fuego que se hubiera propagado por la superficie del mundo entero.

Benditas seáis.

Benditas seáis.

Benditas seáis.

UNA ULTIMA PALABRA para quien desee saber más, para quien esté habituado a vislumbrar en los fenómenos espirituales el mañana y a descubrir en los testimonios de los particulares el camino misterioso de la Iglesia en el mundo.

Se trata de un método muy corriente, especialmente hoy, entre los movimientos. Si vais a una Mariápolis o tomáis parte en una reunión madura de Acción Católica de cualquier nación, os convenceréis inmediatamente.

El Espíritu obra hoy así, y el que está adiestrado en ver las cosas invisibles en el hombre percibe el calor del fuego que propaga por los rastrojos y los quema acá y allá según quiere.

Decía que, como en el pasado el pueblo de Dios fundaba órdenes y espiritualidades, hoy ocurre lo mismo. Hombres y mujeres sumamente sencillos, pero muy despiertos y atentos, fundan movimientos y ponen en marcha espiritualidades que tienen una enorme resonancia y que poseen realmente el poder de anunciar la Buena Nueva con palabras y métodos eficaces.

Puede parecer extraño, y quizá para alguno resulte desalentador: en la jerarquía no nace nada de esto, absolutamente nada.

Os confieso que he meditado mucho para comprender el significado de esta realidad.

Cuando era joven e inmaduro me sorprendía; de viejo me he convencido.

Ha sido para mí como un rayo en la madurez de la vida.

La jerarquía no debe fundar novedades. La novedad está ya fundada, y sobre el fundamento eterno: Cristo.

Los obispos no tienen necesidad de fundar una espiritualidad; son garantes de una espiritualidad que está en la raíz misma de la Iglesia: Jesús muerto y resucitado.

La Iglesia es como la encina, y la jerarquía como el tronco. La novedad, el modo de expresarse en el tiempo, las variaciones, la expansión para conquistar la vida y dar oxígeno a las ramas, está en las hojas. Todo es armónico; Jesús mismo dio el ejemplo con la imagen de la vid y los sarmientos (Jn 15,5).

Es cierto, me he dicho; la jerarquía de mi tiempo no fundó nada, absolutamente nada; pero me ha regalado una cosa que puede equipararse en fuerza y estabilidad a todo lo que se ha fundado; que incluso puede superarlo; me ha regalado el concilio, que es el modo de expresarse hoy la realidad de la Iglesia, su espiritualidad, su anuncio, su estabilidad, su inconfundible unidad, su fuerza más profunda.

Ante el concilio me siento como una hoja respecto al tronco; me siento como un pequeño fruto del todo, me siento en la Iglesia hoy.

No me irrita el obispo Lefebvre porque quiera seguir diciendo la misa en latín, lo mismo que no me irritaba mi abuelo por querer siempre el mismo vaso en la mesa; y ¡cuidado con cambiarlo! Cuestión de vejez (hoy se dice con un término horrendo: "esclerosis").

Me irrita porque habla mal del concilio, lo cual para mí es una ofensa a la confianza que debemos tener en la Iglesia que vive hoy.

Pues bien, viniendo al concilio, ¿qué hacemos con todas estas ramas brotadas del tronco, que son los movimientos, las nuevas fundaciones, la infinidad de comunidades que ni se pueden contar por lo numerosas, como aquellas congregaciones femeninas de las que se decía con una pizca de humor que sólo el Espíritu Santo conocía su número?

Sí; es difícil contar las hojas. Y si queréis un consejo, señores obispos, no lo hagáis.

Dejadlas brotar. Si son del Espíritu, crecerán; si no, morirán por sí mismas.

No estéis siempre con el hacha en la mano y mirando hoscamente las novedades. Preocupaos, por el contrario, de poner bajo el árbol buen abono, que es la palabra de Dios, y pensad que no vais a ser vosotros los que cambiéis las cosas.

¡Nada de eso! Preocupaos más bien de una cosa que estimo fundamental en estos tiempos de renacimiento, de primavera del árbol de la Iglesia.

Es la relación entre multiplicidad y unidad. Ese es vuestro cometido; cometido del tronco, de la jerarquía.

De joven, cuando entré en la Iglesia, recuerdo mi asombro al no ver nunca a un franciscano del brazo de un dominico o a un conventual hablando con un capuchino.

Así era.

Pero lo extraño es que también hoy ocurre así, y en planos más altos.

Si los focolares organizan un encuentro de espiritualidad de la pareja, podéis estar seguros de que no veréis a nadie de Comunión y Liberación; y viceversa, si Comunión y Liberación intenta trabajar en una universidad para establecer una presencia, estad bien ciertos de que no podrá contar con las comunidades de base o con las Acli.

No hay nada nuevo bajo el sol; y aunque hay un despertar de la Iglesia, también hay un despertar del maligno, que intentará dividir, debilitar, difamar a Dios y sus cosas.

¿No es así?

POR ESO ME ATREVO a deciros que es éste tiempo de gran humildad y de infinita paciencia. Cuando estalla la vida, con la fuerza de los métodos modernos, hay que multiplicar la clarividencia, la generosidad, el testimonio, que, además, en el fondo, es el que nos enseña Jesús.

Por otra parte, si queremos hacer nuestra una preocupación del papa Roncalli, hemos de mirar a los signos de los tiempos.

¿Qué significa todo esto?

En palabras pobres, si yo fuera obispo tendría en cuenta dos cosas que nacen de cuanto llevamos dicho y que se expresan con dos términos muy simples: multiplicidad y unidad.

No me amedrentaría por la primera; no me complacería en decir no a un intento de agregación que se produjera en la diócesis, sino que me preocuparía, con paciencia, de establecer poco a poco los hilos conductores que tarde o temprano llevan a la unidad del todo.

Esto significa: derecho a vivir para los movimientos y preocupación por dar a los laicos la formación en la unidad con una Acción Católica consciente, humilde, sumamente madura y respetuosa.

No me agrada un pastor que diga: aquí, en la diócesis, mando yo; nada de movimientos. Si lo queréis, haced sólo Acción Católica.

Como tampoco me agrada un obispo que sólo se fía de los movimientos y considera a la Acción Católica cosa superada.

Se requieren ambas cosas para que los movimientos sean portadores del soplo del Espíritu que anima a la Iglesia en su libertad de desarrollar y adorar los varios misterios de Cristo, mientras que la Acción Católica, injertada directamente en la jerarquía, posee el carisma de guiar a las partes a la unidad y al amor del Cuerpo de Jesús, que es la Iglesia.

Nada nuevo bajo el sol.

Lo mismo que ayer florecían las congregaciones religiosas con sus diferentes espiritualidades, y los obispos las unificaban en el proyecto "Iglesia universal", así hoy bajo el mismo impulso florecen los movimientos y se siente cada vez más la necesidad de una Acción Católica capaz de expresar en el inmenso ámbito de los laicos las preocupaciones de la jerarquía y de establecer la unidad y la comunión entre los miembros del Cuerpo místico de la Iglesia.

Por algo el Concilio Vaticano II tiene palabras privilegiadas para la Acción Católica, que, aunque se le cambie el nombre o se emplee otro "instrumento", sigue siendo expresión de una idea verdaderamente universal e insustituible en la Iglesia.

Sobre el fundamento de la unidad, de la que sólo la

jerarquía es garante porque posee el carisma que le otorgó el mismo Jesús, cada uno de nosotros puede construir su casa, su yermo, su abadía, su convento o su grupo.

Y todo ello dentro de la libertad de los hijos de Dios.

Que no es cosa pequeña.

¡Oh, si fueses tú mi hermana!

SIEMPRE HE ESTADO enamorado de todo. ¡Figurémonos de las mujeres!

La carga de belleza contenida en lo creado ha sido para mí un poderoso reclamo para la comunicación y la alegría.

Mi corazón no ha estado nunca vacío o árido.

De niño jugaba como un loco; y estar empapado en sudor y satisfecho de vivir era cosa normal.

Cuando, más tarde, tocaba el piano, me enamoré de él, hasta el extremo de ser motivo de incomodidad para los vecinos, obsesionados por mi insistencia.

Luego tocó el turno a los colores ser objeto de mi apasionamiento; hasta en la bodega hacía telas horribles embadurnadas por mí.

Cuando conocí la Juventud de Acción Católica y me dejé prender en sus ideales, que llamábamos entonces apostolado, hubiera querido cambiar el mundo en el espacio de una generación: la mía.

El amor a la mujer estuvo en el fondo de toda mi vida y fue la nota continua de mi existir. A veces me apasionaba, y otras me ponía melancólico; pero siempre estaba presente como armonía insustituible en la unidad del todo.

Mi primer amor fue Pierina; tenía yo once años.

Sólo recuerdo de ella el nombre, pues ni su rostro ha quedado grabado en mi mente. Solamente la había visto algunas veces; pero no importaba, porque donde nace el amor hay oscuridad, y no es precisa mucha luz y numerosos signos.

Pierina estaba presente sólo en mi misterio; y soñaba con ella en el juego, en la calle de una periferia obrera, donde entonces vivía mi familia.

No eran más que sueños; por eso su recuerdo se esfumó naturalmente.

Quedó el nombre, que ha prolongado en mí en el tiempo la emoción que experimento al pronunciarlo: Pierina.

A los catorce años, el espacio de la mujer lo ocupó en mí una jovencita llamada Ninetta.

La encontraba en el patio de los chicos, detrás de la iglesia parroquial, cuando íbamos al catecismo.

Recuerdo que tenía los cabellos rizados, y una vez rocé su espalda, no por casualidad.

En mis dedos quedó la suavidad de aquel cuerpo femenino, pero tan lejano, lejano, y envuelto siempre en el misterio.

No volví a verla, porque mi familia se trasladó a la ciudad, donde mi padre había encontrado trabajo en una cooperativa de la construcción.

En la ciudad me enamoré en seguida de Vittorina, que vivía en el último piso de la casa a la que habíamos ido a vivir. Estudiaba y tocaba el piano y tenía trenzas larguísimas.

Como había dejado ver demasiado que estaba enamorado y perdía mucho tiempo mirando arriba, al tercer piso, en lugar de encontrarme con ella en la calle, como deseaba tanto, me encontré con su madre, quien con mucha afabilidad me dijo que era joven, que tenía que estudiar y que también su hija debía hacerlo.

Fue una ducha fría aquel encuentro. Mas como era un chico disciplinado, a partir de aquel día comprendí que querer a una chica era un asunto familiar, con el que habría de contar.

Y, ante todo, contar con las madres, que eran las más vigilantes y atentas.

De entonces data precisamente mi interés particular por su presencia característica en mis amores.

Entre tanto había cumplido los dieciocho años y llegué a maestro de escuela en una aldea del campo.

Como iba frecuentemente a la iglesia, fue natural que me enamorara en ella.

Era una criatura frágil y enfermiza, toda ojos, silencio y melancolía. Pertenecía a una familia riquísima y poderosa; una auténtica desgracia para una chica soñadora como ella: Ada.

Más que por mi escasa iniciativa de pequeño y pobre maestro de escuela, había sido ella, Ada, la que se interesó por mí; y la sola idea de que una mujer pensase en mí me privaba de toda alternativa.

Hubiera hecho cuanto me hubiera pedido.

Pero no me pidió nunca nada, porque intervino su madre, mujer habituada a andar por los arrozales propiedad de la familia, y de la que se decía que durante las huelgas no dejaba nunca las polainas y la pistola.

Cuando esta mujer se dio cuenta de que su hija se había enamorado de un maestro de escuela, la encerró en casa, llegando a arruinar su ya débil salud.

No volví a verla; y aunque su recuerdo me ocasionaba una angustia difusa, me impuse el deber de mantenerme alejado.

Era la primera vez que me sentía ofendido por el despotismo de las familias ricas, las cuales creen que el amor es cuestión de familia y de dinero. Era un desdoro que una rica heredera se casase con un pobre maestro de escuela.

Debía comprenderlo, aunque no lo había buscado yo.

A mí me hacía sufrir su salud. Su médico me decía que pasaba el tiempo leyendo novelas de Fogazzaro y consumiéndose en la nostalgia y en una soledad entonces de moda, como el mal sutil.

Ada no se curó nunca. Su drama, aunque no provocado por mí, me marcó durante varios años, interiorizando en mí el amor en profundidades hasta entonces desconocidas.

La mujer se me presentó siempre como un joyero misterioso y delicado, digno de ser tocado con flores y acariciado en sueños.

Un año más tarde cumplía el servicio militar en Milán, en la Escuela de Alumnos Oficiales de los Alpinos.

El cuartel no fue, ciertamente, el ambiente ideal para pensar en la mujer como yo estaba acostumbrado a hacerlo; exactamente lo contrario.

Me resultaban insoportables la procacidad y obscenidad con que se trataba el amor.

Debo decir algo que no es de poca monta en el plano educativo. La sonrisa maliciosa que el tema del amor suscitaba en muchos, en lugar de hacerme ceder, agudizaba en mí la exigencia interior y la decisión de seguir otro camino y, sobre todo, me confirmaba en la primacía de la castidad sobre lo irracional de la lujuria.

Aquel modo de considerar el amor intensificaba en mí el ensueño que me había forjado sobre la mujer; y la visión de todas las inmundicias, de las que el cuartel parecía aposento, me convencía de la belleza del don de sí y del verdadero amor.

Ocurrió también un hecho que me explicó cómo el mal puede ayudar al hombre en su camino.

Un compañero de "mili", deseando festejar su doctorado de abogado, me invitó a cenar con los demás compañeros.

También yo formé parte del grupo. Después de una cena bastante serena en un restaurante, nos dirigimos al cuartel de los alpinos en medio de la niebla de Milán.

En ese momento, un compañero propuso hacer una

visita a una tía que, según él, vivía en las cercanías y que descorcharía una botella para coronar la fiesta.

La historia de la visita a la tía y de la botella había sido inventada para mí, único cristiano del grupo, a fin de no asustarme y hacerme ceder en mi frontera.

Todavía recuerdo el zaguán, la escalera y la puerta de vidrieras muy iluminada por dentro.

Al instante advertí una cierta ambigüedad en la situación, ratificada por las extrañas sonrisas de los compañeros de cuartel. Pero yo estaba completamente ajeno a lo que me estaba ocurriendo.

Reinaba mucha alegría y, sin saber cómo, me encontré en una casa de prostitución.

Intenté comprender; pero la escena que tenía ante mí borraba por sí sola cualquier duda. Me ruboricé hasta la punta de los cabellos y me volví hacia el que había preparado la broma. Se reía. Entonces le metí el puño en el estómago y abrí la puerta con tal violencia que hice añicos las vidrieras.

Bajé volando las escaleras y me perdí en la niebla milanesa con deseos de gritar y llorar.

Al entrar en el cuartel recuerdo que acudió a mi mente la frágil figura de Ada sentada en la dormilona de su jardín, y los hombres se me antojaron aventureros incapaces de entender la exigencia de un amor demasiado grande para sus apetencias pasionales.

No; para mí la mujer era otra cosa. Y daba gracias a Dios por habérmelo explicado tan bien.

A LOS VEINTITRES AÑOS, cuando Dios hizo irrupción en mí con su Espíritu, la relación con él cambió radicalmente mi vida.

Todo se hizo nuevo y se vio influenciado por el cambio que había seguido a mi conversión.

Y en primer término, el problema de la mujer.

Mejor todavía; fue justamente el problema de la feminidad la línea de fuerza que Dios siguió hacia mí para explicarse y hacerme entrar en el misterio de las cosas invisibles.

Dios intervino como amante.

Al principio me pareció algo tan hermoso y tan cálido, que lo miré como una presunción sentimental. Casi tenía miedo de trazar sus confines, ante el temor de ser presa de un romanticismo demasiado fácil y naturalmente buscado.

Pero no era así.

La intimidad que me regalaba era tan verdadera, tan fuerte, que dejaba huellas, y las dejaba donde la duda no era posible: en la vida, en el dolor, en la alegría, en la comunicación con los hermanos, en el rudo empeño de cada día.

Si él me abrazaba, era capaz de pasar la noche en oración. Si él me hablaba, me resultaba fácil perdonar al que me hacía mal. Si se detenía en mi cuarto, consentía en ir al fin del mundo por el evangelio predicado por él.

Jamás olvidaré la irrupción de su Espíritu en mí.

Era realmente la irrupción de un enamorado loco, que me pedía que le correspondiera con toda mi locura.

Lo que suprimió toda duda, lo que borró en mí la idea de que aquel encuentro era puro sentimentalismo, lo que me convenció de que estaba en lo cierto y que aquel inmenso amor era algo muy distinto de un fantasma, fue la palabra de Dios.

En la Palabra encontré explicado lo que había sentido, hallé la clave del maravilloso castillo en el que había entrado sin saber cómo.

Aprendí de memoria a Oseas, lloré mis traiciones al amor con Ezequiel, esperé contra toda esperanza con Isaías, encarné mi historia en la historia de Israel.

Y fue precisamente Israel —que era un hombre y que antes del "paso" se llamaba Jacob, hombre astuto, capaz siempre de resistir a cualquiera, aunque fuese

Dios, para realizarse a fondo— el que cambió también mi nombre, el que me dijo que en realidad el hombre en la tierra es mujer, ya que el verdadero, el único esposo es Dios.

Al principio me pareció extraño que Dios se dirigiese a Israel en femenino: "Te haré mi esposa para siempre" (Os 2,21); pero luego comprendí con la experiencia que era realmente así, y que a cada uno de nosotros, aunque sea varón, Dios le llama en femenino.

La Iglesia es femenina y el pueblo de Dios es femenino.

Israel es femenino.

Mi ser humano es femenino.

Cuando digo al Señor "te amo", lo digo como a mi esposo, y cuando estoy en casa con él, me acurruco a su lado como un muchachita que lo espera todo de él y sin pretensiones de saberlo todo.

Exactamente como una esposa, o mejor, como una enamorada, ya que los esponsales se consuman sólo después del Apocalipsis.

Toda la espiritualidad del hombre bíblico es feminidad, pasividad, disponibilidad, espera, afán de pequeñez, servicio, adoración.

Si no lo creéis u os asombra mi afirmación, leed a los profetas y se disiparán vuestras dudas.

La gran intuición de Israel, que recorre todo el Antiguo Testamento y que constituye la alegría del pueblo de Dios, es justamente la intuición de que Dios es su esposo.

De ahí nace su fuerza y su gloria.

Escuchad estas extraordinarias palabras de Isaías: "Como un joven se desposa con una virgen, así se desposará contigo tu Creador" (Is 62,6).

Así exactamente ocurre.

Esta es la realidad.

Tal es la síntesis de toda la vida mística.

PERO ESTA REALIDAD, esta síntesis, no se refiere solamente a una categoría de hombres o de mujeres, a gente —según se dice— que ha hecho voto de castidad, como a veces se piensa en la Iglesia.

Nada hay más absurdo.

Esta realidad, este tipo de relaciones, se refiere a todos, casados o no. Se refiere a Juan, que era virgen, y se refiere a David, que no lo era; se refiere a Pablo, al gran defensor del celibato, y se refiere a Abrahán, que, entre otras cosas, tenía dos mujeres. Se refiere a mi hermano obispo y se refiere a mi madre que lo trajo al mundo.

En la vida mística, que es la relación más íntima entre el hombre y Dios, la Palabra se sirve del matrimonio justamente porque el matrimonio es el tipo de relación más apto para explicar las cosas; es el tipo de relación más apasionado, más oblativo, más libre.

Y añado yo: más verdadero.

Lo que tiene lugar entre Dios y yo en este mundo, como principio, y en el Reino, como término, es la unidad perfecta, de la cual el matrimonio es el signo más preciso y asombroso.

Unidad en la vida.
Unidad en la verdad.
Unidad en la voluntad.
Unidad en los gustos.
Unidad en el lenguaje.
Unidad en la casa.
Unidad en la mesa.
Unidad en la fecundidad.
Unidad en la alegría.
Unidad en lo eterno.

Es verdaderamente un matrimonio, y es universal.

No se refiere al cuerpo; se refiere al ser.

No se refiere a lo contingente; se refiere a lo absoluto.

No se refiere a los sentidos; se refiere a la persona.
No se refiere al sentimentalismo; se refiere al amor.
No se refiere a la debilidad; se refiere a la voluntad.

Es el matrimonio entre cielo y tierra.
Entre visible e invisible.
Es el Dios con nosotros.
Es el reino.
Es el paraíso.
Es la unidad del todo.

Pero volvamos a la mujer, pues este capítulo hubiera querido titularlo "Mis mujeres".

Terminé poniéndole el título tomado del Cantar de los Cantares: "Oh, si fueses tú mi hermana..." (Cant 8,1), y prosigue: "te podría besar sin que se escandalizaran los demás".

Al llegar a la madurez de mi vida y conducirme el camino de la fe al Cantar de los Cantares, reaparece la mujer en mi horizonte.

Y vuelve, para que yo la ofreciese a lo Absoluto de Dios.

Pensaba entonces casarme, y ni me había imaginado que pudiera haber otra alternativa para mí.

Quería casarme, soñaba con casarme, era feliz pensando en mi boda.

EL TEXTO DICE exactamente: "Si tú fueses mi hermano...". Pero no es traicionar el sentido del versículo dirigirme a la mujer con las palabras que la esposa del Cantar dirige al esposo.

Sin embargo...

Era por la tarde y hacía calor debido al siroco que soplaba en la ciudad.

Tenía que esperar a un amigo médico ocupado en el hospital, para dar un paseo con él a lo largo del Po y hablar de nuestros ideales comunes de renovar el mundo... en poco tiempo, como ocurre de jóvenes y cuando no se conocen todavía las verdaderas dificultades.

Entré en una iglesia para acallar el tumulto de los pensamientos que me quemaban dentro, y me senté bastante cerca del sagrario. Sentí alivio por el fresco que llenaba la amplia nave, pero cerré los ojos porque todo era desagradable, viejo y descuidado.

Desde hacía algún tiempo me había acostumbrado a tener los ojos cerrados en la oración y a buscar más la paz que la fórmula, más la presencia que el culto.

Permanecí así, fijo, cuando...

Sí, cuando sucedió lo imprevisible.

Había leído frecuentemente en la Biblia el encuentro de Abrahán en la encina de Mambre.

¿Fue el mío un encuentro de esa clase?

No lo sé.

¿Recordaba la zarza ardiente que vio Moisés?

¿Fue lo mismo?

¡Ps...!

A menudo he pensado en los golpes de alguien que llama a tu puerta pronunciando tu nombre, como le ocurrió a Samuel, y te entran ganas de decir: "Señor, ¿qué quieres de mí?".

Fue todo eso y otras cosas también, porque no es posible explicar estas cosas.

Sé que dentro de mí, aquel "paso" imprevisible me dejó una novedad bien clara y precisa, una respuesta hasta entonces desconocida, un principio de discurso personal particularmente exigente y cálido.

No te casarás.

Permanecerás solo.

Yo estaré contigo.

No temas.

En los días que siguieron me fue fácil convencerme de que las cosas habían cambiado en mí y que el paso de Dios había sido radical. Tenía la clara impresión de

64

que ya no sería capaz de "enamorarme" de una cierta manera de la mujer y de que si quería la felicidad debía permanecer solo.

Solo con Dios.

Comprendía, además, de sobra que no hubiera podido decir "sí" a una mujer. Sentía que la hubiera abandonado a medio camino y que mi camino estaba marcado. No había alternativas para mí.

Debo decir que ni siquiera busqué las alternativas. Tan feliz era y tal la alegría que me daba aquel tipo de intimidad con que Dios había querido ligar mi corazón a su misterio.

Sí, Dios me había pedido que no me casara; me lo había pedido precisamente a mí, que había estado siempre enamorado, y me lo había pedido con tal claridad que no dejaba lugar a dudas.

Me gustaba releer la historia de la salvación con este secreto nuevo que había encontrado, y he de decir que sentí el cielo más cercano.

¡Qué impresión sentí al meditar los pasajes bíblicos en que Dios le pide a Jeremías que no tome mujer, a fin de hacerlo signo de una soledad que debería vivir como reclamo del Absoluto!

Pero he de añadir que me sentía más feliz que Jeremías. Sí, más feliz, aunque entendía también el porqué.

Jeremías no había conocido a Cristo, y la virginidad en el Antiguo Testamento pesaba mucho más que en el Nuevo.

Aún no había llegado la Buena Nueva del Reino.

Para mí, la soledad del corazón que me pedía Dios era sólo alegría profunda, verdadera alegría.

Jamás me ha pesado quedarme solo con Dios.

El pensamiento de estar solo con él, sin intermediarios, me ha entusiasmado.

¡Qué sublime aventura el celibato en este mundo!

Es el verdadero signo de los últimos tiempos.

Es la puerta del Apocalipsis.

Es la vigilia de la llegada del Esposo.

Cuando tomo conciencia de ello, siento el escalofrío de las cosas divinas.

¿Y DONDE HA QUEDADO ahora la mujer para mí?

¿Está ausente de mi vida de consagrado?

¡Qué tristeza no sería la mía!

No, el celibato no justifica la ausencia de la mujer, como vivir solo no justifica la ausencia de las flores en mi jardín y el agua fresca en mi fuente.

No, no era eso lo que quería Dios de mí: excluir de mi amor a la mitad del género humano.

Me han dado lástima siempre los consagrados que, acuciados por el miedo al peligro que corren ante la presencia de la mujer, levantan muros y colocan obstáculos insalvables y, lo que es peor, cierran su corazón.

Es un método más fácil, a propósito para los que son niños en la fe, y diría que a menudo también precioso si ha sido sugerido nada menos que por santos y hombres prudentes.

A mí, el "sólo para hombres" o "sólo para mujeres" no me ha gustado nunca, aunque sólo sea por motivos estéticos.

He hecho cuanto está en mi mano para no ir al seminario, y cuando viajo a una ciudad por motivos de evangelización prefiero hospedarme siempre en una familia, aunque sea ruidosa, antes que en una congregación uniforme y severa para hombres solos.

Cuestión de gustos, lo admito.

Pero volvamos al tema de antes. ¿Ha vuelto a asomarse la mujer a mi vida?

¿Y cómo podía ser de otra manera, si quería ser Iglesia y vivir en la Iglesia?

¿Cómo podía excluir a la mitad del género humano y acantonar las posibilidades de amor de tantas criaturas sublimes?

Porque, debo decirlo, eran sublimes o, al menos, me parecían tales.

En las parroquias, las más activas; en las comunidades, las más fieles; en la evangelización, las más atentas; en la cordialidad, las más simpáticas; en el don, las más generosas.

¡No, no podía excluirlas, y no las he excluido!

Además, las he querido.

Con ellas era todo más fácil: la casa, más ordenada; el deseo de trabajar, más simple; las relaciones, más fluidas; la unidad, más natural; la alegría de vivir, mayor.

¡Es un hecho!

SIN EMBARGO...

No tardé en comprender que los sueños más hermosos se desvanecían ante la imprudencia y que se rompía una comunidad por la ambigüedad de relaciones de algún elemento.

Y la causa era siempre la misma: alguno había intentado arrancar una flor del jardín; otro se había apresurado y había querido comer el fruto amargo; y, sobre todo, la mayoría habían desenfundado su egoísmo, transformando el amor de la mujer en una reserva de caza.

La experiencia de las comunidades mixtas, de las cuales la Iglesia es campo natural, como la parroquia, los movimientos, los grupos, la misma liturgia, me ha demostrado con creces que el problema no es tan sencillo, y me ha explicado igualmente, aunque no justificado del todo, el terror y las preocupaciones que habían influido en quienes no podían aceptar ni las escuelas mixtas, ni los grupos mixtos, ni...

En ciertas regiones recuerdo haber visto incluso las naves de las iglesias separadas: a la izquierda para las mujeres, a la derecha para los hombres.

¡Como si bastasen las naves para separar un material tan explosivo y hecho para estar junto desde el alba al ocaso!

Está claro que es un problema, un grave problema que no es posible subestimar y en cuya solución cada uno de nosotros aprende a conocer su propia debilidad y sus fracasos.

Mas no por eso hemos de volver atrás y levantar muros de separación, como en el pasado.

Sería imposible y, además, anacrónico.

Hay que seguir adelante, aunque cueste, convencidos de que han llegado tiempos de una fe madura y de que en este problema no hay sólo aspectos negativos, sino también positivos y auténticos en grado sumo.

También yo he intentado ir adelante.

He asociado a la mujer al ideal de realizar el Reino.

Me he acostumbrado a leer con ella la palabra de Dios.

He intentado levantar al pobre y al disminuido con ayuda de sus brazos, más expertos que los míos.

Le he dado mi confianza, y cuando ella me brindaba su intimidad, he intentado desarrollar en mí la búsqueda de la persona en lugar del cuerpo.

Pero lo que me llevó a la solución definitiva del problema fue la consideración arraigada y sentida de que las mujeres, todas las mujeres, no eran para mí esposas, sino hermanas.

Quizá parezca algo insignificante; sin embargo, fue una gran cosa.

El amor a la hermana me ha ayudado a comprender y a resolver en mí el amor a la mujer y a pacificarlo sin disminuirlo.

Nunca había comprendido a fondo la expresión del Cantar:

"Oh, si tú fueses mi hermana..., te podría besar sin que se escandalizaran los otros" (Cant 8,1).

Ahora lo había comprendido e intentaba vivirlo.

La mujer, todas las mujeres, son mis hermanas.

Ya no me azoro por su cuerpo y permanezco tranquilo ante su feminidad.

No me turba su amistad ni me debilita.

Incluso puedo besarlas, si mi beso es el del hermano, como dice la Escritura.

Sí, hay un beso que escandaliza y un beso que no escandaliza. El beso de la hermana no escandaliza y te ayuda a vivir.

Desde luego, no es fácil, y creo que en esta frontera comprometemos nuestra tensión por el Reino y toda nuestra capacidad de realizar el mandamiento de Dios: "Amarás a tu prójimo como a ti mismo".

Sí; es heroico.

¿Pero no es heroico todo lo que nos propone Cristo?

¿No es heroica la castidad?

¿No es heroica la pobreza?

¿No es heroica la felicidad?

¿No es heroica la paz?

Gracias a este heroísmo cotidiano, alimentado por la gracia y la contemplación, aprendemos en esta tierra a ser hijos del Altísimo y hermanos de Jesús, el cual, al venir entre nosotros, no separó a los hombres de las mujeres, vivió con sencillez entre ellos y ellas, amó a todos, hombres y mujeres, y no escandalizó a ninguno.

PERMITIDME OTRA CONFIDENCIA sin sentiros molestos.

De muchacho, cuando sentía —¡y de qué modo!— que las chicas comunicaban a los otros sus sueños confesando: ¡Cómo me hubiera gustado ser hombre!, fácilmente podía advertir en mí una especie de complacencia secreta.

¡Eres afortunado; eres hombre!

Ahora no es así... Y por muchos motivos...

Os confesaré uno solo, nacido de lo más hondo de mí mismo.

Observo que la mujer es mejor que yo.

En el camino hacia Dios, lo único que me interesa, la siento siempre un paso delante de mí.

En la humildad más humilde, en la paciencia más fuerte, en la caridad más auténtica.

No soy celoso por naturaleza, pero me es fácil ver que Dios mira a la mujer con predilección y me dice casi siempre: mira y aprende.

No deseo que penséis que estoy haciendo un cumplido a las mujeres o, peor, cayendo en el sentimentalismo.

Creo que doy un testimonio de verdad, más allá de la misma virtud personal de cada mujer.

En el camino hacia Dios, la mujer encuentra más facilidad.

Por algo son las mujeres las más disponibles al problema religioso. Y no es por su debilidad.

Es porque están mejor hechas.

Es porque Dios, al pensar en la creación, la pensó en femenino.

¡Qué grato debe serle a Dios "el abandono" de la mujer en el amor y en las cosas más grandes que ella!

¡Cómo debe preferir su silencio, abierto al que viene!

Por algo María de Nazaret es la más grande de todas y ejemplo para todas y para todos.

Experiencia de Dios

"¡TARDE TE AME, hermosura tan antigua y tan nueva;
tarde te amé!
Y he aquí que tú estabas dentro de mí, y no fuera.
Por fuera te buscaba; y deforme como era,
me lanzaba sobre esas cosas hermosas que tú creaste.
Tú estabas conmigo, mas yo no lo estaba contigo.
Llamaste y clamaste, y rompiste mi sordera.
Brillaste y resplandeciste, y fugaste mi ceguera.
Exhalaste tu perfume, y respiré,
y suspiro por ti.
Gusté de ti, y siento hambre de ti.
Me tocaste, y abraséme en tu paz".

SAN AGUSTÍN

INDUDABLEMENTE es una página estupenda del gran místico africano, y debo confesar que me ayudó en el momento preciso.

Cuando tuve la primera intuición de que quería conocer a Dios por experiencia, me pareció que había encontrado un secreto.

Si Dios existe, quiero conocerlo, decía en lo más hondo de mí.

71

Es el conocimiento que me puede ayudar, porque su solo existir no me basta.

También san Agustín había dicho: "Tú estabas conmigo, mas yo no lo estaba contigo".

Luego estaba. ¿Qué faltaba?

Sí, yo estaba... Tú estabas..., mas esto no era suficiente.

Yo no le veía, no le sentía.

Aunque la razón me había llevado hasta el "Tú estás", ¿de qué podía servirme si no se establecía el contacto?

Se requería algo más, y yo lo sentía casi con angustia.

Si Dios existe, quiero conocerle, quiero encontrarle.

"Luego llamaste y clamaste, y rompiste mi sordera"; "brillaste y resplandeciste, y fugaste mi ceguera", "exhalaste tu perfume y respiré".

Sí, se trataba verdaderamente de comunicación.

El encuentro debía ser dinámico; no me era ya suficiente el carácter estático de la razón.

¡Qué preciosa me ha sido esta intuición a mitad del camino de mi vida: Si Dios existe, quiero conocerle!

Quiero encontrarle.

Quiero habituarme a estar cerca de él.

Quiero contemplarle.

No me resultó difícil salir de la manera habitual de pensar en buscar a Dios con la lucidez de la razón, como tantos me habían sugerido, y que indudablemente me había ayudado en los primeros tiempos.

Ahora ya no me bastaba. Quería buscar a mi Dios con todo mi ser y no sólo con la parte más orgullosa de mí: la razón.

Mientras, debo decir que la crisis se había desarrollado justamente allí, en la razón, y que la cultura de mi tiempo, también la llamada cristiana, no tenía ya la seguridad de otro tiempo.

Era difícil encontrar un buen profesor de filosofía que te ayudase en serio.

El mismo estaba en crisis. Yo lo sentía por una cierta tristeza que veía en sus ojos, y advertía a mi alrededor un cierto aroma a cosas pasadas.

Había que seguir adelante, había que ponerse en camino, había que aplicar el oído a la "voz", bajar con Jacob al vado de Yabbok, donde tuvo la experiencia de Dios en un encuentro que se convirtió en un choque, en un combate del que salió cojo, pero enriquecido con la única gran novedad que cuenta: "el perfume cercano de Dios".

Era preciso vivir, más que razonar; había que hacer silencio más que hablar.

La vida era mucho más explosiva que la sola razón y tenía dimensiones mucho más universales.

Era inútil perder el tiempo; debía buscar, tocar, escuchar, orar, amar.

Todavía recuerdo cuando, en pleno carnaval, mi comunidad de Acción Católica me llevaba a pasar el día en el Cottolengo de Turín, donde nos esperaban los enfermos, los disminuidos, los manifiestamente más pobres. Por la noche salía transformado, y después de aquel encuentro auténtico, amante en el dolor, la humanidad me parecía mejor, más verdadera, más real.

¿Y cómo olvidar la pascua pasada en las cárceles, hablando a los presos de la resurrección de Jesús?

¡Qué fácil era llorar con los que lloraban!

¡Qué visible era el paso de la paz allí donde había pasado la Palabra!

¡Y qué dulzura infundía la misericordia encontrada en el contacto con lo Absoluto de Dios!

Cristo había resucitado realmente, y no era la simple fórmula, sino la vida la que te lo decía.

¿Y qué decir de la castidad como alegría, del compromiso como plenitud, del perdón como paz, del trabajo como superación, del servicio a los hermanos como delicia de vivir?

Era la vida la que te lo demostraba; y la vida aquella tarde estaba allí, la veías, la tocabas, la experimentabas.

Sí; hoy no es ya un secreto para mí: la experiencia humana es ya experiencia de Dios.

Nuestro caminar por la tierra es ya un caminar hacia el cielo. Contemplar el alba o una flor es ya mirar a Dios.

Descubrir una galaxia con el telescopio es como acercar tu pequeñez a su grandeza, y la caricia de la luz en un prado de flores es ya vislumbrar el vestido del Eterno.

Cuando me enamoro de algo o de alguno siento su reclamo, y cuando me devora la insaciabilidad que me regala una criatura advierto que sólo Dios es el Absoluto.

No, ya no es un secreto querer conocer a Dios en la experiencia, porque todo conocer es experiencia de él.

Ahora he comprendido que no existe otro camino, aunque sea misterioso y frecuentemente doloroso; y todos lo recorremos, incluso sin quererlo.

El mismo lo ha trazado.

Incluso el pecado me guía por su camino; hasta puede que me guíe más que ninguna otra cosa.

En efecto, al huir de él he sentido dolorosamente su falta, y al volver he conocido mejor su corazón.

Tan es así esto, que le hace decir a santa Teresa:

"Si pudiera pecar sin ofender a nadie, pecaría, porque aprendería mejor a entender a Dios".

Pero es ésta una de tantas locuras que sabe pensar el amor cuando es auténtico.

Una cosa, sin embargo, es cierta: cuando llegas ahí, ni siquiera el mal te da miedo. Has vencido y sabes que Dios vence.

¡Lástima que la victoria no sea aún definitiva!

Nuevamente es la razón la que vuelve a la carga y te debilita en la posición alcanzada.

Sí, lo confieso: lo que más difícil me ha hecho la aceptación de Dios como experiencia, como encuentro, ha sido justamente la razón; mejor, la razón que no ama, la razón del que razona demasiado, la razón que no sabe aceptar su límite y que, sin poseer todos los datos del conocer, se permite decir a cada nuevo descubrimiento: ¡esto es imposible!

En el fondo es la razón del que no es pequeño de corazón, de quien quisiera conocerlo todo y al punto, de quien no es capaz de otorgar su confianza a quien es más grande y le lleva ventaja.

Por algo Jesús repetirá sin cansarse su advertencia: "Si no os hacéis pequeños..., no entraréis" (Mt 18,2), que es una verdadera amenaza para todos.

Sí, nunca hubiera creído que fuera tan peligroso el orgullo y tan necesaria la humidad en las relaciones con Dios.

En tu orgullo, la misma razón —ese gran don de Dios— termina por no ayudarte ya, y hasta por confundirte.

¡Es algo terrible! La razón, para el que no es niño, o sea para el que está ahíto de sí mismo, para el que no busca y, por tanto, no ama, no otorga confianza ni a ti ni a Dios.

Es como una pregunta repetida hasta la obsesión.

Es la incapacidad de contemplar.

En el fondo, es el orgullo del que cree sólo en sí mismo, se tiene por el centro de todo y el principio de todo.

Un tipo así, para llegar a la certeza experimental de la existencia de Dios debería haber recorrido todo el camino, haber acumulado en su cerebro, aunque fuese electrónico, todos los datos sobre él; haber dado las respuestas a todos los porqués, haber realizado la unidad de todos los opuestos y de todas las contradicciones.

¿Es posible tal cosa?

No, no es posible.

Por eso se ha dicho: "Dios resiste al soberbio", y no es broma.

Nos guste o no, la vida es un camino, y también la razón está en camino.

Y en el camino se debe aprender a esperar; debes experimentar tu pobreza, debes aceptar la noche oscura o la niebla que se alza de improviso con su capacidad de esconder el sol.

PERO MIENTRAS esperas...

Mientras estás en la noche.

Mientras pides a tu razón que descanse un poco, que cierre los ojos y duerma un rato, al menos por cansancio, intenta ver si existe alguna otra posibilidad que pueda echarte una mano en tu eterna duda.

Intenta abandonarte en la arena árida de tu desierto; a lo largo de la pista de tu camino.

Puede que encuentres algo diverso que pueda servirte de ayuda.

¡Prueba!

¡Yo he probado!

Es lo que te dice el salmo de la contemplación:

"No se infla, Señor, mi corazón,
ni mis ojos se engríen.
No voy buscando cosas grandes,
que me vienen anchas.
En silencio y en paz
guardo mi alma
como un niño
en el regazo de su madre"
(Sal 131).

Cansado de razonar he buscado amar.

Me he figurado ser un niño en brazos de Dios como mi madre.

Me he dormido así.

Entonces me ha salido al encuentro la contemplación.

Y la contemplación es amorosa.

Está más allá de la meditación, incluso de la más alta y profunda.

En la contemplación es donde he tenido la experiencia de Dios.

Si en la razón encubaba la duda, en la contemplación ha desaparecido.

He experimentado que Dios se da al que se le abandona totalmente.

Y en su darse y en tu darte no razonas.

El amor verdadero es locura; locura de Dios, locura de la criatura.

En esta locura contemplas.

¡Oh noche de fuego de su abrazo!

¡Oh plenitud del don!

¡Oh superación de todo lo visible!

¡Oh amor que lo vence todo!

¿Qué es todo el resto en su comparación?

"Paja", dirá Tomás.

"Nada", dirá san Juan de la Cruz.

HERMANO, ¿quieres un consejo?

No pierdas el tiempo preguntándote si existe Dios.

Lo real piensa en decírtelo de todos los modos posibles. Cuanto existe te lo repite.

Si no lo ves, es que estás ciego; si no lo escuchas, es que estás sordo.

No te sigas esforzando; es un trabajo inútil.

Intenta tocarlo; tú puedes tocar en el amor.

Ama, y todo será lógico, fácil, verdadero.

Lo puedes tocar directamente en la noche de la contemplación, cuando él se descubre en tu pasividad amorosa.

Lo puedes tocar indirectamente, sirviendo a las criaturas con un servicio auténtico y gratuito.

Pero ama.

El problema de Dios es un problema de comunicación.

Y la comunicación se llama Espíritu Santo.

A Dios lo descubrimos como encuentro, pero dentro, no fuera de nosotros.

Dentro, no fuera de él.

Jesús dirá en el colmo de su alegría por el encuentro con el Padre: "Tú en mí y yo en ti, a fin de que seamos perfectos en la unidad" (cf Jn 17,21-22).

Y nos dará también a nosotros la misma posibilidad, prometiéndonos el Espíritu. Para convencerme de ello expresará una verdad que es quizá la experiencia suprema de él: "En aquel día no me pediréis ya nada" (Jn 16,23).

Jamás hubiera creído que existiese en la vida un momento semejante. Un momento tan luminoso, que ya no sientes ganas de hacerte preguntas.

"En aquel día ya no me pediréis nada".

No hay necesidad.

En ese instante todo es tan claro que sólo dices: ¡Basta!

Todo es tan gozoso, que sólo dices: ¡Gracias!

SI, TODO es uno; todo es tres.

Se afirma que el misterio de la Trinidad es incomprensible, y es posible.

¡Pero es tan simple cuando lo vives!

Nada es tan luminoso y verdadero cuando lo experimentas.

¿Qué sería el Padre sin Jesús?

¿Y qué sería Jesús sin el Padre?

¿Y dónde estaría la plenitud y la alegría sin el Espíritu que los une? ¿Que hace de tres uno?

¿Habéis intentado pensar en el grito de Jesús en la noche, en su oración en el desierto o en Getsemaní?

De no estar el Padre para responderle, ¿qué realidad sería la suya, la nuestra?

¡Qué soledad la de un Dios en su espantosa unidad!

No; Jesús gritó, y el Padre le respondió, y el Amor es su eterna unidad.

¡Qué gozo el Espítitu!

Hace de tres uno, y en la unidad reencontrada está toda la felicidad de Dios.

Todo es uno, todo es tres.

En la unidad nos ponemos en movimiento, pero en la Trinidad es donde captamos la plenitud de Dios.

La perfección está en la Trinidad.

Yo, tú, el Amor.

El Padre, el Hijo, el Espíritu.

El abrazo es el Espíritu, que hace de tres una sola cosa y te da el gozo de ser uno.

El Reino es la unidad en la multiplicación del todo; es la felicidad de ser una sola cosa, es la alegría del paraíso.

Cuando experimenté en el desierto el misterio del amor de Dios como Trinidad, rodaba por la arena de alegría gritando: "¡También yo te amo!", y me sentía saciado.

Al hacer presa en mí, como comunicación vital, echaba de ver la relatividad de todas las cosas y lo absoluto de nuestra participación en la vida divina, que es el eterno amor de Dios.

Y la razón, ¿dónde se había fijado?

Ella siempre pronta a hacer preguntas indiscretas, ¿dónde se había escondido mientras yo contemplaba?

Estaba de rodillas, cerca, en la árida arena, reducida

finalmente al silencio; también ella fulminada, como lo estaba yo.

Como una niña.

Pequeña, como lo quiere el amor.

Y yo decía extasiado: ¡Gracias, Dios mío!

Gracias.

No existe...
la casualidad

TARDÉ TIEMPO, pero al fin llegué.
Y estoy muy contento.

Y quisiera decíroslo a los pequeños, a los más pequeños de vosotros, amigos míos; quisiera decíroslo como se dice un secreto muy sencillo, pero importante, muy importante; como en una de esas verdades a las que se llega después de mucho caminar y mucho pensar, que te lo dice todo en pocas palabras, pero capaces de resolver problemas enormes; problemas que te han ocupado toda la vida y en torno a los cuales has dado vueltas y vueltas inútilmente, fatigándote y complicando inverosímilmente las cosas más simples.

He aquí el secreto: la casualidad no existe.

La casualidad es una palabra sin sentido. Aunque salta sin cesar en nuestro modo de pensar y de obrar, es un puro fantasma; es la solución equivocada de un problema; es algo aceptado por auténticos inconscientes o, mejor, por ciegos.

La casualidad no existe.

A menos que entendamos por "casualidad" lo que tan acertadamente dice Anatole France con esta estupenda expresión: "La casualidad es el pseudónimo que usa Dios cuando no firma personalmente".

No, *la casualidad no existe.*

Existe solamente la voluntad de Dios; voluntad que llena el universo entero, guía a las estrellas, determina la estaciones, llama a cada cosa por su nombre, da la vida y la muerte, provee a las criaturas, las viste de belleza y de armonía y, sobre todo, quiere la salvación de todos, vence el mal, construye su reino, que es reino de justicia y de paz, reino de verdad y de amor, reino de resurrección y de vida.

Nada escapa a esta voluntad.

Ni una célula está fuera de su sitio, ni un átomo está allí al azar, ni un número sin calcular en el universo entero.

La historia, que es la manifestación de este laborar indecible y poderoso, frecuentemente oculto, incomprensible y doloroso, está dominada absolutamente por esta voluntad que la guía hacia la fulgurante manifestación de los hijos de Dios.

El mal, la oscuridad, el sufrimiento, la muerte física, no son más que etapas necesarias en el gran camino que todos vamos siguiendo para hacer más verdadera, más luminosa, más comprensiva y más evidente la victoria de Dios.

En adelante no diré ya: "Es una casualidad"; diré, rezando: "Es tu voluntad, Señor mío".

SIEMPRE me ha encantado el relato del primer encuentro de Jesús con Natanael, según lo describe Juan en el capítulo primero de su evangelio.

"He aquí... una casualidad", hubiera dicho en otro tiempo; pero ahora ya no lo digo.

He aquí el texto en toda su vivacidad:

"Al día siguiente quiso Jesús salir para Galilea; encontró a Felipe y le dijo: Sígueme. Felipe era de Betsaida, patria de Andrés y de Pedro. Felipe encontró a Natanael y le dijo: Hemos hallado a aquel de quien Moisés escribió en la Ley y los Profetas. Es Jesús de Nazaret, el hijo de José. Y Natanael le dijo: ¿De Nazaret puede salir cosa buena? Felipe contestó: Ven y verás. Jesús vio a Natanael, que se le acercaba, y dijo de él: He aquí un verdadero israelita, en el cual no hay engaño. Natanael le dijo: ¿De qué me conoces? Jesús le contestó: Antes que Felipe te llamase, te vi yo, cuando estabas debajo de la higuera. Natanael le respondió: Rabí, tú eres el Hijo de Dios, tú eres el rey de Israel. Jesús le contestó: ¿Porque te he dicho que te vi debajo de la higuera crees? Cosas mayores que éstas verás" (Jn 1,43-50).

¿COMO HA SIDO vuestro primer encuentro con Dios?

¿Como el de Natanael? Entonces significa que sois muy sencillos y que poseéis aquella famosa infancia de espíritu, tal como la poseía Natanael, elogiado por Jesús, y que le permitió no atribuir ya a la casualidad el encuentro, sino a otra cosa bien precisa y más clara.

¿Eres tú capaz de creer que te ha visto bajo la higuera?

Y no sólo bajo la higuera.

¿Puedes creer que él ha pensado en ti, que te ha buscado antes que tú pensaras en él y te hayas dado cuenta de su presencia en tu vida?

Desde luego se necesita tiempo para convencerse de la simplicidad de las cosas de Dios.

Seguiremos pensando: "¿Pero es posible?"

Puede que lo haya adivinado..., pero... ¿y si fuese casualidad?

Sí, me ha visto bajo la higuera, ¿pero será capaz de verme bajo el cobertizo? ¿Y me verá también en la oscuridad? Y cuando se distrae, ¿se acordará de mí?

Cuando sufro en mi lecho, ¿estará presente con su mirada?

Y si estoy sin trabajo, ¿por qué no interviene?

¿Sabe en serio que estoy buscando marido?

¿Por qué no responde mientras vivo en el terror de quedarme sola en la vida?

Es largo el camino en nuestro vagabundear en torno a este misterioso santuario que es el santuario de nuestras complicaciones y de nuestras dudas.

Se requiere tiempo antes de llegar a la sinceridad de Natanael, que exclama con alegría:

¡Tú eres el Hijo de Dios!

¡Tú no eres la casualidad!

¡Tú eres una voluntad que me busca y me ve!

¡Tú eres Persona!

¡SI PUDIESE de veras creer!

¿Y si lo lograra?

¿Si me decidiera a pensar que no existe la casualidad?

¿Si intentase vivir con un Dios siempre presente en mis cosas, incluso en las más mínimas?

Hermanos, hermanas, la respuesta que aflora es estupenda, estupenda, estupenda.

¿Lo habéis intentado?

Puede que alguno se sonría; pero como estamos hablando de testimonio, quiero contar uno que me ocurrió y que he vivido y sigo viviendo intensamente.

He probado y lo he conseguido.

Y ello ha marcado bastante mi relación con Dios. Escuchad.

Hace exactamente veinte años, mi prior, el padre Voillaume, me encargó fundar en Marsella una fraternidad para recoger a los hermanos que al volver de países de misión tuvieran necesidad de un lugar tranquilo en el campo.

Poco había que escoger; pero tuve la suerte de encontrar una pequeña granja en la periferia de la ciudad, donde los hermanos, enfermos o sanos, podían ocuparse de cuadrar el balance de la fraternidad con once vacas, siete pares de pichones y un centenar de gallinas.

Vendíamos leche, queso y huevos a los vecinos del barrio.

El único hermano verdaderamente capaz y experto en el cuidado del ganado era un joven flamenco, que tenía grandes deseos de trabajar y mantenía en pie la granja; pero cuando se dormía no conseguía nunca despertarse.

Tenía yo un despertador fuera de serie, de esos hechos expresamente para casos difíciles, y he de confesar que estaba aficionado a él. Todas las noches me tocaba prestárselo a Ulrich, que lo miraba con especial complacencia.

Aquí comienza la historia de un Dios que me despierta bajo la higuera.

Le dije a Ulrich: "Toma el despertador, te lo regalo. Yo haré que me despierte el Señor".

Ulrich me miró con su agradable sonrisa, que me pareció la sonrisa de Dios, que estaba probando mi fe.

¿Lo vais a creer?

Han pasado veinte años. Multiplicad veinte por trescientos sesenta y cinco días. Da un bonito número.

El despertador que elegí aquella noche en la fe ha funcionado siempre a la perfección, y desde entonces me vedo cualquier intervención mecánica en los oídos, como la del despertador, que regalé definitivamente a Ulrich y que en el fondo buscaba como una de tantas seguridades de la vida.

Ahora aventuro mi seguridad con el riesgo de la fe y espero ser despertado por mi Dios.

Basta la fe para hacer que funcione el despertador invisible de su presencia en mi vida.

Convengo que no siempre ha sido fácil y que me exigió un esfuerzo sin descanso; pero aquí estoy para deciros que mi jornada comienza con la alegría de repetir con Isaías: "Cada mañana despierta mi oído para que yo te escuche" (Is 50,4).

Es algo estupendo.

Y muy sencillo.

Basta creer, basta fiarse de él, basta confiar en su presencia, siempre presente.

Lo mismo que vio a Natanael bajo la higuera, me ve Dios a mí y me llama, porque es mi fe la que le llama.

Y siempre es gran motivo de alegría pensar que él me ha visto, que ha pensado en mí y, como si no bastase, me dice: "¿Esto te sorprende? Mayores cosas verás" (cf Jn 1,50).

RESUMAMOS. Te he dicho que a Dios se le intuye al principio del camino en el signo de la creación.

Luego la razón te ayuda a reflexionar y a descubrir una cierta lógica, esforzándote por dar un significado a todo lo real que te rodea.

Después dejas a un lado a la razón, porque te enreda con su limitación y su ansia orgullosa de saberlo todo.

Aparece entonces el amor, el gran Amor; y justamente cuando ya no sabes meditar, te encuentras adormecido en brazos del Amor.

Es la contemplación, que es auténtica revelación de Dios.

Revelación personal, sabrosa, oscura, pasiva, a menudo dolorosa, de él, como dice Maritain en *Los grados del saber*.

Cuando amas, cuando amas de veras, todo se hace fácil y sientes que has encontrado.

Sí, he encontrado porque he amado.

Y he encontrado porque me he abandonado en la oscuridad.

Pero la oscuridad es para él luz y me puede tocar cuando quiera, sin que haya ya velos entre mi oscuridad y su desnudez amante.

¡Es algo fantástico el amor!

Y me pide una sola cosa: darle más, darle todo.

¿Y qué hay de más precioso en mí que pueda darle?

¿Cuál es el don que más ama?

Es la confianza.

De todos los dones que puedes dar a una persona, el don más grande es la confianza.

Me fío de ti.

Estoy a gusto contigo.

Contigo estoy en paz.

Tú sabes, tú puedes, tu provees.

Es la fe pura, es la fe desnuda, es la fe del que sabe amar.

¿Os sorprende ahora que Francisco, cuando quiere conocer la voluntad de Dios, abra... "al azar" el evangelio?

¿Os sorprende la Iglesia naciente que, al elegir al que ha de sustituir a Judas el traidor, echa a suertes?

¿Es cosa de niños abrir al azar el evangelio?

¿Es cosa de niños echar a suertes una elección tan importante?

Ciertamente. Es cosa de niños. Pero de niños que se sienten en brazos del Padre, en brazos de alguien que no les engañará, en brazos de una voluntad que yo busco por amor y que no me puede decepcionar.

Cuando he llegado a ese punto, siento que Dios no puede burlarse de mí y que me responde con precisión y dulzura.

CUANTAS VECES he vuelto a leer en las *Florecillas* el relato de Francisco y de Maseo mientras caminan por las carreteras de Toscana. Maseo marcha unos pasos delante, y Francisco le sigue en silencio.

Dice Maseo: "Hermano Francisco, ante mí hay dos caminos. ¿Cuál tomamos?"

"El que quiera el Señor", responde Francisco.

"¿Y cómo me las arreglo para saber cuál es el que quiere el Señor? —replica Maseo—. Hay dos".

"Mira cómo te lo indicará: ponte en el cruce y gira sobre ti como hacen lo niños cuando juegan". Y Maseo comienza a girar como una peonza hasta que cae al suelo atontado.

"¿Qué ves delante de ti? —dice Francisco— ¿El camino de Arezzo o el de Siena?"

"Veo el camino de Siena".

"Está bien, vayamos a Siena", concluye Francisco, que todavía no sabía que en Siena se estaban matando y que Dios le había señalado aquella ciudad precisamente para llevar la paz, como de hecho ocurrió.

Podéis reíros, si os sentís intelectuales; pero si tenéis corazón de niño quizá logréis encontrar un secreto que os facilite la vida.

Sé que muchos no lo hacen así; sé que los listos se avergonzarán de hacerlo así.

Realmente no estamos obligados a hacer las mismas cosas. Cada uno tiene su camino y hace bien en seguirlo a conciencia.

Yo procedo de esta manera, y el testimonio que os puedo dar es que si he sentido a Dios presente en el cosmos, si lo he sentido en la historia, si lo he sentido en la Iglesia, lo he sentido mucho más presente en la intimidad que he intentado establecer con él en las cosas pequeñas, en lo cotidiano de cada día.

SI, HERMANOS, y concluyo.

La intimidad divina es la máxima experiencia que he podido hacer de Dios.

La intimidad divina ha sido siempre la respuesta más clara sobre su existencia y sobre su presencia en mi vida.

Yo en ellos y tú en mí, para que sean perfectos en la unidad

LLEGADO al término de mi camino sobre el conocimiento de Dios como experiencia realizada en este mundo, pienso que no existe una expresión capaz de resumir con más precisión la relación con él como el Trascendente, el Absoluto, el Admirable, el Misericordioso que la formulada por Juan en la última Cena y que pone en labios de Jesús en la despedida definitiva de sus íntimos: "Yo en ellos y tú en mí, Padre, para que sean perfectos en la unidad y el mundo conozca que tú me has enviado" (Jn 17,23).

En esta obra he insistido reiteradamente en que el ateísmo contemporáneo es a menudo un falso problema debido, en la mayoría de los casos, a la dificultad para aceptar un rostro de Dios deformado por nuestro infantilismo religioso y continuamente borrado por nuestra racionalidad, cada vez más madura y cambiante bajo el impulso de la cultura y de la experiencia personal.

Doy otro ejemplo. En la infancia, la idea de Dios está ligada a lo "mastodóntico", a lo "inmenso", a todo lo que es grande y nos supera infinitamente. Dios es el que sabe hacer lo que nosotros no somos capaces de hacer. Es el Creador, el Omnipotente, el Fuerte, el

Omnisciente, y nosotros... somos y nos colocamos en el lado contrario: somos los pequeños, los incapaces, los débiles, los pecadores.

En una palabra, él lo es Todo; nosotros, nada.

¡Y es verdad! Pero es una verdad... relativa. Es una verdad que sigue siempre su camino hacia "más verdad"; hacia una verdad que tiene necesidad de explicarse y de explicar, y que cuando se encuentra al final es muy diversa de la intuición inicial.

Aquí se oculta el problema; mejor, el obstáculo que, tarde o temprano, puede complicarme las cosas y hacer que me parezca irracional la verdad encontrada en la infancia.

¿Cómo puede interesarme aún un Dios tan bueno, tan feliz, tan alto, mientras yo soy tan desgraciado, estoy tan angustiado, tan perennemente derrotado?

Si al principio no puedo prescindir de él por mi miedo o mi inmadurez, agravadas por la idea de castigos eternos que los mayores me sugieren con tanta facilidad, llega un momento en que reacciono de modo desordenado y confuso.

Mi vida se llena entonces de compromisos, de altibajos, y callo ante él por temor a que mis relaciones con él se debiliten, combinadas casi naturalmente en una mezcla de fe y falta de fe, de pecado y de complejos de culpa, de terrores nocturnos y de malos ejemplos continuos, que termino dándome a mí mismo y a mis hermanos.

Aquí me percato verdaderamente de que mi bagaje religioso es más superstición que teología, más tinieblas que luz, más niebla húmeda y enojosa que sol radiante, más ateísmo práctico que esperanza liberadora.

¿DONDE ESTA el error?

El verdadero error, el error que constituye la base de toda mi concepción de Dios, es la *separación*.

El allá arriba, y yo acá abajo; y, además, separado de él por cientos de millones de años luz.

Lo trágico del error está incluso en el nombre mismo que empleo para indicar el lugar donde él habita, el ambiente en que vive, la casa donde reside; el nombre que repetimos con tanta facilidad, que es muy bonito y se llama cielo.

De niño, "cielo" significaba para mí lo "alto", el lugar que está más allá de las estrellas, el azul luminoso que envuelve la tierra; y me resultaba fácil imaginar el alma de la abuela fallecida aquellos días volando hacia arriba en el cielo, a la transparencia, lejos, muy lejos, a un lugar inaccesible para nosotros los vivos, entorpecidos por un cuerpo pecador e incapaz de volar.

Parece broma, pero ¿sabéis que una concepción tan madura, sin palabras de Dios y sin teología, puede conducir derechamente al ateísmo o, si no al ateísmo precisamente, a la indiferencia religiosa? En el mejor de los casos, aprendes a hacer tuya y a creer en la frase terrible que Cronin puso por título a una de sus mejores novelas: *Y las estrellas están mirando.*

Sí, el cielo te está mirando; Dios te está mirando, y terminas por creer que es perfectamente indiferente a ti, especialmente cuando lloras.

No sé lo que os habrá ocurrido a vosotros; sé lo que a mí me ha ocurrido, y puedo deciros que he tardado mucho en dar la vuelta a la situación y en asignar a la palabra "cielo" su puesto justo, o al menos plausible.

Tengamos en cuenta que la cultura en que estamos inmersos, las llamadas ideas corrientes sobre el problema religioso con que nos bombardean los *mass-media,* especialmente en Occidente, están perfectamente vacías de teología y más aún de experiencia de Dios.

A lo más son un acervo de supersticiones, de lugares comunes trillados, al margen absolutamente del grande, único y sublime misterio de la Unidad y la Trinidad de Dios, síntesis de toda la realidad visible e invisible, respuesta a todos los porqués, ambiente en el que vivimos como los peces en el agua, como los pájaros en el aire, vientre que engrendra del Amor.

El cielo no está allá arriba, aunque también está allá arriba.

El cielo está en todas partes.

El cielo está allá arriba y acá abajo.

El cielo es lo infinitamente lejano y lo infinitamente cercano.

El cielo es el lugar "celado", que significa oculto, donde vive mi Creador y donde vivo yo, ser creado; donde está él, que es Padre, y estoy yo, su hijo; donde está él, que es fuente, y yo, que estoy sediento; donde está él, creatividad e inspiración, y yo, capacidad de creatividad e inspiración.

El cielo está en todas partes porque Dios está en todas partes, y se llama cielo porque es misterio oculto, y es justo que sea así en atención a mi inmadurez en devenir, capacidad de entreabrir los ojos, camino hacia la plenitud del Todo, descubrimiento progresivo de la Persona de Dios.

Y para que esto no ocurra, la luz tiene necesidad de tinieblas; la vida debe tocar a la no vida; el amor gratuito debe descubrir la realidad del egoísmo; la verdad ha de abrirse camino entre la mentira, y la virtud ha de batirse con el pecado.

Sí, es verdad; lo positivo de Dios lo descubro en su negativo, que soy yo, que es el universo; y sé que para lograr una hermosa fotografía se necesitan ambos.

Tal es la experiencia de Dios.

Dios se hace hombre para que el hombre se haga Dios, la tristeza se vuelva alegría, la Nada se convierta en el Todo.

Es el encuentro.

Es el estar juntos.

Es la generación.

Es la madurez del hijo al lado del Padre.

Es el reino del amor.
Es lo Eterno.
Es el paraíso.

TU EN MI y yo en ti, tal es el término del camino.

De niño buscaba a Dios fijando los ojos en la luz que me llegaba de lo alto.

De joven lo buscaba entre los hermanos que me rodeaban.

De hombre maduro lo busqué caminando por las pistas del desierto.

Ahora que me encuentro al final me basta cerrar los ojos y lo encuentro en mí. Si veo la luz, lo veo en la luz, y si veo las tinieblas, lo siento en las tinieblas; pero siempre dentro de mí.

No siento ni siquiera la necesidad de ir a buscarlo, de arrodillarme a rezar, de pensar o de hablar para comunicarme con él.

Me basta tomar conciencia de mi realidad humana, y en la fe lo veo en el centro de ella.

Tú en mí y yo en ti, repito con Juan. Y es el mismo Juan, el gran místico del evangelio, el que me dice también unas palabras que son realmente la definición más exacta de la síntesis entre contemplación y acción, entre cielo y tierra, entre el hacer y el ser.

Permaneced en mi amor (Jn 15,9).

Permaneced... permaneced...

VOY A CONCLUIR ahora con unas palabras sobre este *permaneced en mi amor* que nos refiere Juan a manera de estímulo de Jesús a cada uno de nosotros.

Este *permaneced* tiene un valor radical y una importancia que va mucho más allá de una piadosa exhortación.

El que toma conciencia de ello, cierra el círculo de sus búsquedas y de su experiencia de Dios, y no necesita ya interrogarse sobre dónde está Dios y sobre cómo encontrar su contacto vital.

Tú en mí y yo en ti. El largo camino recorrido por la criatura ha concluido.

Ahora permanece inmóvil en un abrazo eterno, en una relación sin fin, en una certeza cada vez más cierta.

Tú en mí y yo en ti, repite el hombre, como Jesús en la noche del amor, cuando el "don de sí" se convierte en la exigencia implacable de la criatura abrazada a su Creador.

Tú en mí y yo en ti, grita el que viene de muy lejos y que durante tanto tiempo ha estado buscando al que tenía tan cerca, aunque no lo veía, como cuenta Agustín en sus *Confesiones.*

Tú en mí y yo en ti, suspira el que había creído que podía saciarse sólo con ídolos y vacío, y ahora descubre que sólo Dios es el Absoluto y que está allí tan verdadero, tan único, tan accesible.

PERO TODAVIA hay más; en este "yo en ti" descubro el verdadero aspecto metafísico de la relación Dios-hombre.

Voy a explicarme.

La mayor parte de los que echan a andar en busca de Dios se paran a medio camino a causa de su silencio. Intentan gritar, y él no responde.

Ningún rumor en torno a él.

Todos los días escucho a alguien que me pregunta por este "silencio" de Dios.

"Hablo, llamo, rezo, pero él no me responde". El silencio se interpreta entonces como ausencia.

Dios no me responde.

Dios no está.

¡Cuánto tiempo para comprender esta realidad, para ver claro en este modo de obrar por parte de Dios!

¡Qué no somos capaces de hacer para romper este silencio!

Nuestros ojos fijan su mirada en lo invisible, con la esperanza de ver finalmente algo.

Mis ojos se abren hasta el espasmo para captar algo que me hable, que me testimonie su presencia, que sea el comienzo de un diálogo.

Pero no descubro nada.

Mis oídos no perciben nada.

Entonces me retraigo, decepcionado, y me pongo a dudar de mi fe.

No he conseguido aún comprender que así está bien y que este no ver con mis ojos y no oír con mis oídos es señal de que todavía soy dueño de mis nervios y estoy lejos del viscoso terreno de la superstición y la ilusión.

Ahora que soy experto en este terreno, y más todavía en este silencio de Dios, cuando alguien viene a decirme que ha visto... una luz..., que ha escuchado una voz..., que ha percibido un fluido..., no dudo en decirle con palabras apropiadas: "Hermano, hermana, visita a un neurólogo, porque puede que estés en la frontera de la patología".

No, hermano; no, hermana; como lo visible no es lo invisible, como la naturaleza no es la gracia, así nuestro alfabeto no es el alfabeto de Dios, nuestra lengua no es su lengua, nuestros oídos no son sus oídos.

Cuando Dios habla no vibran las cuerdas vocales, y el lugar donde tú escuchas las voces no es ciertamente tu oído.

Si él quiere decirme algo —y me lo dice continuamente, porque Dios es Palabra—, me lo dice en el punto más recóndito y misterioso de mi realidad; esa que a veces llamamos corazón, y otras veces conciencia.

No es fácil saber dónde reside este lugar, este punto de encuentro, esta maravilla de nuestro ser.

Sabemos que existe, tenemos experiencia continua suya y percibimos sus voces, aunque seamos sordos de nacimiento.

Dios habla con la realidad que es él y habla a la realidad que soy yo.

Habla con el lenguaje de la realidad.

Ocurre lo que ocurre con las estrellas.

Si una estrella quiere hablar con otra estrella, no se sirve de la boca, que no tiene, ni de los oídos, que no posee, porque le son inútiles; sino que habla con la ley de la gravedad, que posee, y con la de la atracción de los cuerpos en que vive y para los cuales vive.

Y es capaz de decir: "Tú estás cerca de mí, hermana estrella, por tu magnitud, pero estás lejos por la distancia donde la Realidad te ha puesto".

Dios habla al hombre con la Realidad, y su hablar es silencio absoluto fuera de la realidad. Dios, que es Palabra, tiene a la misma realidad como lenguaje, y allí es donde debemos escucharle.

Es un discurso continuo, un canto inexhausto de amor, una armonía sin límites, un diálogo que no cesa, un cerebro electrónico siempre en actividad.

Sí, Dios habla con las cosas que existen, con la lógica que rige, con los fines hacia los cuales caminamos.

No me dice con su boca que es la belleza; me la hace ver en un hermoso ocaso o en el centelleo del océano.

No me dice que es eterno; me da la sorpresa cada día al contemplar la aurora.

No me dice que es vida, fecundidad, sino que me da un campo de trigo maduro.

No me dice que debo morir; me hace morir.

No me dice que resucitaré; me muestra a Cristo resucitado.

No me dice que piensa en mí y que me ama; pone en mi corazón la caridad, que es su modo de amar.

No me dice lo que debo hacer; lo saca de mi conciencia, donde reside él perennemente.

¿Y la Biblia —me diréis—, la Palabra escrita de Dios, qué es?

Pues justamente lo que estaba diciendo.

Es la Realidad de Dios que habla a mi realidad. Es verdaderamente *Tú en mí y yo en ti*, a fin de que seamos perfectos en la unidad.

¿Es que creéis que Moisés, cuando escribía los libros santos, escuchaba la palabra de Dios en sus oídos?

¿O que los evangelistas tenían la grabadora en la mesa?

¿O que los profetas consignaban sus palabras ardientes pasivamente, como autómatas?

Aquí está el verdadero misterio de la relación hombre-Dios; el secreto insondable del lugar del encuentro, la imposibilidad de distinguir entre lo que él hace y lo que hace su niño que está en él; entre lo que él dice y lo que escribe la mano del hijo que vive en él.

Cuando Ezequiel ve brotar el agua del templo al lado derecho, y que aumenta tanto, tanto, que le llega a los tobillos y luego a la cadera, convirtiéndose después en un río navegable, ¿creéis que las piedras del templo estaban realmente mojadas?

No, no seáis tan infantiles al concebir la realización de la Palabra. En el templo estaba Dios y estaba Ezequiel, y la Palabra se convierte en Palabra justamente en el encuentro, y la visión es signo de lo que quiere decir Dios a los hombres dispuestos a captarlo. *Tú en mí y yo en ti.* Tú dictas y yo escribo, y en un cierto punto ambas cosas son una sola.

Si tú callases, hablaría yo, porque a fuerza de estar en ti me convierto en ti.

Tú me has dicho "no matarás", y yo lo he escrito. Ahora, aunque no me lo digas ya, yo sigo escribiéndolo, porque soy yo el que, al convertirme en tu voluntad, comprendo que no hay que matar.

Por algo los libros más maduros de la Biblia fueron escritos al menos dos veces, y las cosas más bellas fueron repensadas después del destierro de Babilonia, comprendido el Génesis.

Era la misma Palabra de siempre; pero el eco en el corazón del hijo se había hecho más verdadero, más profundo.

Todo está en camino; y también lo está la Palabra, una experiencia entre dos, un madurar, un ir hacia eso extraordinario que se expresa así en el *Tú en mí y yo en ti*.

Y este Tú es Dios mismo; y yo en él me convierto en él, en el Hijo.

¡TU!

¡Yo!

¿Qué sería yo sin ti?

¿Qué serías Tú sin mí?

¿Qué sería Jesús sin el Padre?

¿Os imagináis al Padre sin Jesús?

La realidad mística está en la relación, y la relación se llama Espíritu Santo.

"El Padre obra siempre —dice Jesús—, y yo también obro" (Jn 5,17).

No hay dos misterios: Dios y el hombre.

Hay uno solo, y los dos son una sola cosa y están siempre juntos.

No puedo separarme de mi Dios, que es el ser de mi ser, la raíz de mi raíz, y todo va hacia la unidad del ser.

Por algo el vientre de la mujer que contiene al hijo es la imagen más perfecta que poseemos, la señal más bella de la realidad entre Dios y el hombre.

NO BUSQUES a Dios lejos de ti, sino búscalo en ti y permanece inmóvil en su presencia.

Deja hacer.

Pero tu dejar hacer sea tu misma actividad perenne; como un camino inmóvil, como un sí pronunciado juntos, consciente, ¡eterno!

Dios es lo que buscas como perfección, como ser, como verdad, como amor.

Dios está en la punta de tu lápiz, en la punta de tu arado, como decía Teilhard de Chardin.

Entre ti y él no hay más que la placenta de su capacidad generadora, el respeto infinito de tu persona, el espacio para dejarte decir con libertad "te amo", la distancia para poderte abrazar como hijo, como hermano, como amigo, como esposo; en una palabra, como persona.

HE BUSCADO; sí, he buscado, porque era él quien me buscaba y debía responder. Le he encontrado, porque ya estaba allí esperándome.

EXPERIENCIA
DE IGLESIA

EN ESTA TIERRA, la experiencia luminosa que el hombre hace de Dios termina implicándole en una experiencia de Iglesia.

Las dos tensiones —la de Dios y la del hermano— están ligadas al misterio de la cruz, que se expresa como signo en la dimensión vertical y en la dimensión horizontal de sus brazos.

Tampoco para mí ha sido de otra manera, y mi progresiva penetración en el misterio de Dios ha ido acompañada del descubrimiento del misterio de la Iglesia.

En la segunda parte de este libro me refiero a algunos problemas que interesan a ambas tensiones y que, a mi modo de ver, son de actualidad que no dudo en definir profética para la Iglesia de hoy.

Casarse...
¿es un defecto?

SI, OS LO CONFIESO; he tenido una vida feliz. Ahora que me encuentro al término de mi carrera puedo decirlo con conocimiento de causa.

Tres dones de Dios han sido la base de mi alegría y han iluminado mi camino:

1) Una familia pobre y serena.

2) Una comunidad de fe y de oración como la Juventud de Acción Católica, que me dio el gusto de ser Iglesia.

3) Una llamada al desierto y a la vida contemplativa.

Han sido tres etapas que he intentado vivir intensamente. No me han decepcionado; y si hubiera de comenzar de nuevo, las recorrería una tras otra conscientemente.

Es evidente que la llamada al desierto, aunque fue la más dura, fue la más excitante,

la más hermosa,

la más madura,

la más libre.

El desierto es el espacio del alma, es la fe vivida sin fronteras, es la alcoba deliciosa para el encuentro con el espíritu, es..., y no dudo en afirmarlo, lo que precede a la Tierra Prometida.

En el desierto conocí las verdaderas pruebas de la fe, la noche oscura; pero también conocí la fulgurante victoria de Dios sobre el hombre.

Experimenté la tentación de los ídolos ocultos bajo la albarda del camello, como Raquel (Gén 31,19.34) cuando huía con Jacob de casa de su padre; pero allí justamente comencé a gustar, en las tardes incandescentes de luz, la primacía de las bienaventuranzas proclamadas por Cristo, ápice de la experiencia humana en la tierra.

"Bienaventurados los pobres de espíritu...
Bienaventurados los que tienen sed de justicia...
Bienaventurados los que llevan la paz...
Bienaventurados los misericordiosos" (Mt, 5,3ss).

PERO ESTOS dones de oración, estos dones de ofrenda de sí, estos dones de las bienaventuranzas, son de todos.

Absolutamente de todos.

Sin embargo, cuántas veces he oído que me decían: "Dichoso tú...

sí... tú no estás casado...

¡El matrimonio es otra cosa!

Con la familia todo cambia...

Al casarme he tenido la impresión de perder algo, de debilitar mi impulso..., de reducir mi caridad".

¡Cuán cierto es que en la Iglesia circula aún esta mentalidad "celibataria", la idea de que la realización total del cristianismo sólo es posible renunciando al matrimonio!

Es un tabú difícil de desarraigar. Frecuentemente muchos hombre de Iglesia, y más aún las mujeres, han dado la impresión de creer en él y de no querer absolutamente liberarse de estas concepciones inexactas de la vida.

106

Es cierto que las vocaciones son muchas, y que cada uno tiene la suya.

Es cierto que existe la llamada a la virginidad, especialmente después del ejemplo de Jesús. Pero es igualmente cierto que existe la vocación al matrimonio, y que no es debilidad o pereza afrontarla, especialmente hoy.

Sin embargo —no desearía ofender a nadie al afirmarlo—, ha habido en la Iglesia, particularmente en los últimos siglos, una cierta devaluación del estado matrimonial; ha habido una difusión de la mentalidad clerical que ha visto, predicado y exaltado sólo el celibato hasta el punto de dejar en el subconsciente de los cristianos la idea de que el casarse es convertirse en cristianos de segunda clase, incapaces de guiar una comunidad de oración e indignos de tocar las cosas sagradas.

Pero quizá haya sonado la hora...

El papa Wojtyla, que a muchos les parece un tradicionalista, ha sido justamente el pontífice que ha tenido el valor de nadar contra corriente, afirmando frente a esta mentalidad celibataria cosas que nadie antes había expresado con tanta claridad en estos últimos siglos.

Ha dicho, hablando a los esposos en la plaza de San Pedro: "El matrimonio no es inferior al celibato, y la perfección cristiana se mide con el metro de la caridad, y no con el de la continencia".

"Las palabras de Cristo —afirma el Papa— no dan pie para sostener ni la inferioridad del matrimonio ni la superioridad de la virginidad y del celibato.

El matrimonio y la continencia no se contraponen el uno a la otra, ni dividen de suyo a la comunidad humana y cristiana en dos campos, digamos: de los perfectos a causa de la continencia y de los *imperfectos* a causa de la realidad de la vida conyugal.

No existe base alguna para una supuesta contraposición —ha insistido el Pontífice—, según la cual los célibes y los núbiles sólo en razón de la continencia constituirían la clase de los perfectos, y, por el contrario, las personas casadas constituirían la clase de los no perfectos o de los menos perfectos".

A mí, para creer enteramente la valiente afirmación del Papa, me basta colocarme ante la figura de mi padre y de mi madre. En casa hemos sido cuatro religiosos; pero ninguno de nosotros, a pesar de tener una vocación seria y comprometida, ha podido soñar con igualar la caridad de mi madre y la fe sencilla y heroica de mi padre.

¿Entonces?

ESCUCHAD ESTE relato. Lo viví en el desierto, hacia la mitad de mi vida, cuando la verdadera experiencia te saca de todos los ríos de la superstición y te enseña a valorar con realismo las cosas y los hombres.

No sé si sabéis que en el desierto, para ganarme el pan, hacía de meteorólogo.

Mi trabajo consistía en visitar cinco estaciones que había establecido y que transmitían datos sobre la temperatura, la humedad, los vientos, las lluvias y cosas por el estilo.

Era para mí un trabajo interesante, que, junto con el pan ganado con él, me brindaba la posibilidad de viajar por las pistas del desierto y de encontrar ya sea campamentos de tuareg, ya campos de trabajo de geógrafos, de buscadores de uranio, diamantes o, lo que era más precioso, pozos de agua que explotar.

Desde algún tiempo estaba en relación con un ingeniero sueco que se había convertido al catolicismo, al que había catequizado en dos años de encuentro y que deseaba ahora ser "bautizado" por mí en el lugar de su trabajo, entre sus colegas, en una mina de buscadores de minerales preciosos entre Ideles y Djanet.

Al pasar por Laghouat —centro de la diócesis— solicité el permiso del obispo y, una vez obtenido, fijé con alegría la fecha de la ceremonia, según lo deseaba Alex, el neófito.

La situación especial hacía prever fácilmente un magnífico encuentro de fe en aquella zona perdida del Sahara.

En la fecha establecida, como atraídos por la gracia y por la amistad, geógrafos, buscadores y médicos —que tenían sus campamentos en un radio de cientos de kilómetros— se habían dado cita en aquel lugar áspero y solitario del desierto, llamado Tabelbellà.

Llegué dos días antes del bautismo, y acerté, porque me esperaba una gran sorpresa.

Además de las tiendas de los buscadores del campo, encontré una gran tienda del servicio de sanidad de la región.

Bajo ella se habían instalado unos esposos, ambos médicos; estaban entregados a curar a los enfermos de la zona. Muchos habían llegado de lejos y formaban una gran procesión, en espera de que les viera el que ellos llamaban el "tubib".

De origen belga, se habían casado y habían partido para Africa. Habían aceptado su pesado trabajo de ir a visitar enfermos en los campamentos de nómadas, y la suya no era ciertamente una "vida burguesa" y "cómoda".

¡Pero qué magníficos eran y cómo me conmovía al ver su trabajo!

Los recuerdo como si fuese hoy.

Jóvenes, animosos, inclinados sobre sus enfermos, que uno tras otro desfilaban ante ellos con confianza y gran reconocimiento.

Todos hubieran deseado llevarles a cenar a su campamento, prometiendo "couscous" o "michouy" con sus ojos centelleantes de alegría y gratitud.

Al contemplar a aquellos jóvenes médicos, me entusiasmaba y hubiera querido que estuvieran en las pantallas de todas las televisiones europeas y americanas para decir con los hechos que no existe el paro en el mundo para quien vive en la caridad y busca la comunión con los pobres.

Como no hay paro para el que pasaba la vida allí buscando agua para purificarla y canalizarla en provecho de las poblaciones sedientas o para construir aldeas intentando hacer más humana la vida de los pobres.

BAJO LA TIENDA en que nos reunimos al día siguiente por la tarde para el bautismo de Alex se había formado la comunidad más interesante que hubiera podido desear.

Mi estupor fue grande al ver que todos éramos cristianos y casi todos proveníamos de movimientos militantes, como la JOC francesa, la Juventud estudiante belga, los focolares, las comunidades neocatecumenales, los movimientos de espiritualidad familiar.

El Espíritu Santo descendió sobre nosotros, reunidos como Iglesia, y cuando derramé el agua sobre la cabeza de Alex la conmoción era general y manifiesta la alegría de todos.

Luego nos sentamos y cada uno habló de su camino en la fe.

Me impresionó la madurez de aquellos hombres llegados allí para trabajar ciertamente, pero más aún por un ideal que habían conquistado.

He aquí el relato de los testimonios, tal como intento recordarlo.

Jean-Ivette: "Somos franceses y hemos militado juntos en la juventud obrera cristiana (JOC). Nos enamoramos y, después de casarnos, salimos con una compañía de buscadores de uranio.

Yo guío el helicóptero e Ivette hace de secretaria en

el campo. Somos muy felices y pensamos permanecer en Africa lo más posible.

Tenemos muchos amigos entre los árabes y bereberes, y les ayudamos como podemos.

Estamos contentos de encontrarnos aquí y de haber testimoniado a Cristo a nuestro hermano Alex, que hoy ha recibido el bautismo".

Pierre-Monique: "Nosotros somos belgas y médicos. Procedemos de la Juventud estudiantil, pero nos conocimos en una de las primeras Mariápolis de los focolares. Todo cambió desde entonces, y Jesús tomó posesión de nosotros. Cuando nos encontramos con los hermanos, sentimos que él está en medio de nosotros, y ésta es nuestra fuerza e inspiración profunda.

Queremos trabajar como médicos en el Tercer Mundo.

El trabajo nos gusta, nos queremos y ahora concebimos la vida como don que ofrecer a Dios y a los hombres.

Nos estamos habituando al desierto, del que estamos enamorados, y nos sentimos satisfechos por estar aquí esta tarde para testimoniar nuestro amor a Cristo, que hoy ha llamado a Alex a seguirle".

Francesco-Chiara: "Nosotros somos italianos. Yo, Francesco, soy ingeniero, y conocí a Chiara en una catequesis de neocatecumenales. Vamos haciendo juntos el camino de la fe, lo que nos ayuda mucho en nuestra vida de pareja. Estamos contentos de poder estar aquí para manifestarle a Alex nuestro afecto".

Alex: "Yo vengo de muy lejos. Mi padre tenía una acería en Estocolmo y quería que trabajase con él. Yo atravesaba una crisis existencial. No estaba contento de mí mismo, no encontraba motivos para vivir, y partí como peregrino por el mundo.

He estado en todos los continentes y he conocido a mucha gente que, como yo, andaba buscando. En la India conocí la droga y estuve a punto de perderme.

Me salvó una mujer que me quería y con la que más tarde me casé.

Luego quedé nuevamente solo al morir ella de cáncer en una clínica americana.

Desesperado, comencé de nuevo a viajar, mantenido sólo por el recuerdo de ella, que era cristiana y que en el lecho de muerte me había dejado su pequeño crucifijo de madera, diciéndome: 'Esto te salvará'.

Para ayudarme a vivir me zambullí en el trabajo, alistándome en una sociedad minera que trabaja aquí, en Argelia.

Un día encontré en la pista al hermano Carlo.

A partir de entonces sentí que había llegado el momento de escuchar la voz de Susy, mi difunta esposa, a la que siento siempre a mi lado como inspiradora.

He pedido ser bautizado.

Ahora me encuentro aquí, con vosotros, lleno de alegría.

Ya no estoy solo, porque he encontrado una Iglesia.

Me parece que comienzo a vivir".

CUANDO HUBIERON terminado todos el relato de su propia vida, hubo un momento de silencio en la tienda. El fuego del Espíritu había hecho de nosotros una sola cosa; la conmoción era intensa y visible. Tenía que tomar la palabra y me sentía pequeño e indigno ante aquellos hombres maduros y probados en el trabajo, la cultura y el largo camino recorrido.

Salí del paso haciendo una pregunta que me parecía madura y verdadera:

"¿Qué falta bajo esta tienda?

Estamos aquí como comunidad de fe. Hemos orado. Como si fuésemos cristianos primitivos, hemos acogido a uno entre nosotros en la Iglesia; uno que de ahora en adelante caminará en la fe e intentará vivir imitando a Jesucristo, nuestro Señor y nuestro Maestro.

¿Qué falta entonces bajo esta tienda? Decidlo vosotros".

Una voz —la del médico— me respondió: "Falta la Eucaristía, falta la presencia de Jesús bajo el signo que nos dejó en la última Cena".

Guardé silencio.

Nunca como en aquel instante sentí la incongruencia histórica de una comunidad de cristianos huérfanos de la Eucaristía por el simple motivo de que faltara el sacerdote.

Pero el sacerdote estaba lejos. Aquellos buscadores hacía meses y meses que no comulgaban por falta de sacerdotes. Todos era militantes cristianos, conscientes de su fe, y solamente porque su trabajo y sus compromisos les habían llevado lejos se veían forzados a vivir sin Eucaristía durante meses y meses.

En la tienda —estimulado por la visión de aquella comunidad que se había formado a cientos de kilómetros de la primera misión— me resultaba fácil ver una realidad que era insostenible.

¿Por qué?...

¿Por qué comunidades del Zaire, de Africa Ecuatorial, integradas por excelentes cristianos catequizados por catequistas africanos, debían quedar privados de Eucaristía solamente por la falta de sacerdotes?

¿Y por qué faltaba el sacerdote? Porque todos eran casados, y la Iglesia no ordena más que a célibes.

¿Pero es posible que ser célibe constituya una condición tan absoluta?

¿Es posible que por el mero hecho de estar casados se niegue la posibilidad de consagrar el Cuerpo del Señor en la asamblea de los fieles?

¿Es eso lo que pidió Jesús?

¿Estar casados es un defecto tal que incapacita para ser sacerdote en la Iglesia de Cristo?

¡No, no! Aquí algo no funcionaba; había algo incomprensible en la situación de la Iglesia de hoy.

Evidentemente, estaba el peso de un pasado al presente superado, que era preciso afrontar. Estaba la obediencia a una situación histórica de otros tiempos, que seguía influyendo gracias a la pereza de los cristianos, que es mucha, o al poder misterioso que poseen los tabúes en las tradiciones seculares y en las culturas míticas.

¿Cuál había sido la voluntad de Jesús al instituir la Eucaristía?

¿Había pedido el celibato o el "haced esto en memoria mía"?

La voluntad celibataria, llevada a lo inverosímil en los últimos siglos, especialmente por los religiosos, ¿no ha terminado por enmascarar la misma voluntad de Cristo?

Entre el celibato obligatorio, que reduce el número de sacerdotes, y la necesidad de no dejar a la comunidad sin Eucaristía, ¿qué opción se impone?

¿No tiene derecho la comunidad a la Eucaristía?

¿Por qué negársela simplemente porque no tenga un célibe dispuesto a ser sacerdote?

HE TENIDO entre mis manos una carta escrita por un africano, cristiano ideal y padre de familia. La carta iba dirigida a su obispo, y decía poco más o menos: "Tata obispo, quisiera pedirte un regalo. Nuestro pueblo es todo él cristiano, pero es pequeño, pequeño, y nunca podrá tener un sacerdote fijo para celebrar la misa todos los días, como desearíamos nosotros. A veces hemos de esperar meses para tener la alegría de una misa.

Tata obispo, tenemos con nosotros al catequista.

Está casado, es bueno y rico de fe y caridad. ¿Por qué no le pides al Papa que te dé el poder de ordenarle sacerdote?

Así tendremos siempre la Eucaristía".

¿Qué responder a este pobre cristiano?

¿Hay argumentos lógicos para negarle su petición?

¿Basta repetir eternamente que el sacerdocio debe conferirse sólo a los célibes?

¿Y por qué no también a los casados?

¿Existe tal prohibición en la Escritura?

¿Qué se hacía en la Iglesia primitiva?

¿Cómo marchaban las cosas en los primeros siglos?

¿No es, más bien, que nosotros, por necesidades históricas o por nuestros gustos celibatarios, hemos cambiado la misma naturaleza de las cosas? Me parece que sí.

Hablo como célibe y desde un celibato que Dios mismo me ha dado como carisma irreversible.

No veo alternativa en mi vida, y experimento tanta alegría en el cuerpo por este don que el Señor me ha confiado, que me atrevo a decir con san Pablo: "Hermanos, quisiera que todos fueseis como yo".

Sin embargo, con idéntica fuerza y conciencia os digo que hubiera deseado recibir la Eucaristía de mi padre, muy digno de ser sacerdote, aunque estuviera casado.

Y con igual esperanza afirmo que estamos en vísperas de un tiempo en que la Iglesia dejará de hablar como lo hace sobre la falta de sacerdotes hoy, porque sus palabras no son ciertas. Hoy no faltan sacerdotes.

Hay todos los que se necesitan y, como siempre por la generosidad de Dios con nosotros, más todavía.

Pero están entre los casados, y la Iglesia debe buscarlos allí.

¡Qué interesante sería que dejara de circular el miedo a la falta de sacerdotes en la Iglesia!

¡Qué alegría el día en que la comunidad tome conciencia de que las cosas han cambiado y de que la clausura de los seminarios para solo célibes, vaciados por el mismo Dios, ha sido una gracia, una de las mayores gracias después del Concilio!

¡Con la paz de todos!

Un tabú
que liquidar

CON LA DISTANCIA de los años vuelve a mi mente aquel bautismo administrado en la lejana tierra africana, tan rico en fe y madurez humana y tan pobre por el irracional ayuno eucarístico.

Y, más que antes y con mayor energía, me repito: ¿Por qué?

Precisamente hoy que tenemos a un papa como Wojtyla, tan capaz de entusiasmar a los casados cuando habla del mismo amor conyugal como experiencia del amor de Dios, tenemos que ver a la Iglesia, a su Iglesia, anclada aún en su pasado, superado infinitamente por la realidad de hoy tan universal, tan radical, tan explosiva.

Me pregunto: ¿Temería el papa Wojtyla ordenar sacerdote a su amigo sindicalista Walesa y hacerle capaz de celebrar la misa entre sus obreros?

Oigo decir: en Polonia hay muchos sacerdotes célibes; no hay necesidad de ordenar a casados...

Es verdad... Pero ¿se puede decir lo mismo del Brasil, de los países africanos?

He visto comunidades esperando meses para tener la Eucaristía.

¿Es justo?

Pero, además, está la nota dolorosa, la verdadera, la que ofende a toda una categoría de hombres.

117

Tener miedo de ordenar sacerdote a un casado significa, en el fondo, no tener confianza en el estado matrimonial; significa, y es una verdad sacrosanta, dar en la Iglesia la impresión de que el celibato es el verdadero, el único estado de perfección.

Y eso es falso.

Eso es un tabú.

SE QUE TOCO un tema delicado.

Sé que algunos se escandalizarán.

Pido perdón, pero no puedo callar.

Y, además, hablo como célibe; por tanto, con los papeles en regla, y me precio de proclamarlo.

Os he dicho, y lo repito, que el Señor me ha pedido que reciba este carisma de la virginidad, y cuando le doy gracias por el don que me ha otorgado lloro de alegría.

Soy feliz en la soledad de mi celda. El es mi almohada, mi intimidad, mi plenitud, mi esposo.

Pero no puedo soportar que se insinúe en la Iglesia que mi estado es "especial", una especie de perfección.

No; la perfección está en la caridad, no en el celibato.

¡Cuántos esposos he encontrado más ricos que yo en amor, en el don de sí, en la oración, en la unión con Dios!

Es un horrible tabú del pasado juzgar a los hombres por su estado civil y no mirar lo que cuenta: la fe, la esperanza, la caridad.

Y en esto no es el celibato lo que cuenta, como no es el matrimonio lo que puede incidir.

Hemos llegado al absurdo de proclamar: "No hay vocaciones sacerdotales", cuando de vocaciones está lleno el mundo y lo están las iglesias.

Desde luego, no encontraréis ya vocaciones de "seminarios de ayer", pero podéis encontrar cuantas queráis en los "seminarios de hoy", que son los movimientos, como las comunidades neocatecumenales, la Acción Católica, los focolares, los grupos de Comunión y Liberación, los cursillos; es decir, en todas aquellas comunidades eclesiales que siguen en serio el camino de la fe y no distinguen a los hombres por una cosa tan íntima como es la del celibato, de la que no se debía susurrar o hablar por pudor o discreción.

En vez de abrir de nuevo los seminarios menores, verdadero baldón educativo y último intento de influir en los jóvenes lejanos de la verdadera libertad de los carismas que sólo Dios da, la Iglesia debería dejar que los jóvenes se formaran en el ámbito de la vida parroquial, pero sobre todo en las comunidades de fe y de oración.

El joven en este ambiente, que "no es del mundo, pero que está en el mundo" (cf Jn 17,11.14), encuentra su vida, descubre su carisma, camina con los hermanos en la fe y en el amor, sirve a la comunidad con su compromiso, se casa o no se casa, de acuerdo con la llamada.

Entonces, cuando en la comunidad surge la necesidad del sacerdote, el obispo escoge dentro de una gama mucho más amplia que la de los célibes de costumbre.

¿Hay en el Evangelio algo en contra de este modo de proceder?

¿Es tan extraño pensar que vuestro padre pueda daros la Eucaristía?

LOS QUE PERMANECEN atados al pasado suscitan algunas dificultades. Voy a hablar de ellas.

La primera es la concepción del sacerdote "para todo".

Se dice: Si el obispo ordena sacerdote a un casado, ¿cómo puede éste ocuparse del bien común con la libertad de un soltero? Comprometido en sus deberes profesionales y familiares, ¿cómo puede interesarse por los catecismos, las funciones, de toda esa babilónica actividad parroquial?

Es verdad. Si la comunidad es una comunidad de muertos, una comunidad que lo espera todo del sacerdote, que descarga sobre él todo el peso, imposible soñar con un cambio. Sería fatal.

Pero si la comunidad es una comunidad viva, en la que el catecismo lo hacen las madres y los padres y donde cada uno tiene su tarea de apostolado, ¿qué le corresponde al sacerdote?

Exactamente lo que dice la Iglesia primitiva después de la institución de los diáconos: "A nosotros... dedicarnos a la palabra y a la oración" (cf He 6,4).

Pero la dificultad principal es otra; la verdadera, la que ha llevado fanáticamente a la Iglesia a transmitir a los célibes la autoridad: el beneficio parroquial.

Sí, el beneficio parroquial.

Puede parecer extraño, ligeramente venal; pero...

He oído decir: Ya es duro mantener al sacerdote; figuraos lo que ocurriría si tuviésemos que mantener también a la familia del sacerdote..., comprendidos los sobrinos.

El argumento corta por lo sano. El solo recuerdo del nepotismo imperante en el Medievo a todos los niveles, especialmente los más altos, hace que se desalienten los innovadores.

No; aceptemos el mal menor; contentémonos con célibes, aunque sean escasos... y contrahechos.

ES DESPLAZAR el problema. El verdadero problema no es un problema de vocaciones, sino un problema de comunidad. Si tenéis una comunidad de holgazanes, que lo espera todo del sacerdote, es justo que

120

lo pague y que siga en el número de las iglesias muertas, viviendo sólo el domingo un cierto culto para hacerse la ilusión de que así no se termina en el infierno.

Pero si tenéis una comunidad viva, en la que cada uno aprende, con el bautismo, a comprometerse como si fuese sacerdote, es posible también renunciar al beneficio parroquial o, mejor, que el beneficio parroquial subsista, pero para los pobres, no para el sacerdote.

El sacerdote, como todos los demás, aprende a vivir de su trabajo.

Si yo fuera obispo, ordenaría sólo a hombres económicamente libres.

El paso que hay que dar es realmente un paso de gigantes. En efecto, cuando el sacerdote no pida a las comunidades, sino dé, como hacía Pablo, el clima cambiará del todo y se anunciará el Evangelio no basándose en estipendios y propinas, sino bajo la moción del Espíritu.

Por lo demás, los militantes de Acción Católica, los focolares, las comunidades neocatecumenales, los dirigentes de Comunión y Liberación, los incansables misioneros de la Renovación, los miembros del Voluntariado, ¿os piden estipendio cuando trabajan, organizan encuentros y se pasan la noche en las multicopistas?

Si entre los simples laicos tenéis el ejemplo de cristianos capaces de ganarse el pan y de consagrar las horas libres a la parroquia, ¿por qué no han de dar el mismo ejemplo los pastores?

Y, recordémoslo bien: si alguien tiene demasiado que hacer y no le queda tiempo para ganarse el sustento, el verdadero motivo es casi siempre que exagera o, peor, que se está convirtiendo en peligroso acaparador.

Como Pablo, que, sin embargo, era acérrimo defensor del servicio a la Iglesia, cada uno de nosotros debería vanagloriarse de no ser pesado a las Iglesias, como él, que trabajaba para dar ejemplo.

Y si hacía o aconsejaba una colecta, como lo hizo

para ayudar a algunas Iglesias empobrecidas por una carestía, era ciertamente en casos particulares y ocasionales, no para conseguir beneficios.

Sí, confesémoslo claramente: el verdadero peligro para las Iglesias son las riquezas, las propiedades, auténticos insultos a la pobreza de Cristo y verdaderas trampas para los cristianos.

Los beneficios vuelven envidiosos, alejan del impulso primitivo del Evangelio y..., lo que es peor, es preciso defenderlos con los métodos del mundo, lo que significa: compromiso, capitalismo, usura y... cosas peores aún.

CUANDO DESPUES del pontificado de Pío XII vi vaciarse los seminarios y noviciados, quedé literalmente espantado. Luego, como invita Jesús a hacerlo en tales casos, me puse a rezar.

Entonces me pareció comprender, al principio confusamente y luego con mayor claridad cada vez, que en un fenómeno de tales proporciones debíamos mirar si no había en el fondo algo que Dios quería decirle a su Iglesia.

No se trataba de este o aquel seminario, de esta o aquella región. Se trataba de todos los seminarios; toda la Iglesia se veía acometida por el mismo problema.

Cuando pienso que mi cardenal pasó diez años de fatigas —¡y qué fatigas!— y desangró a la diócesis para construir un seminario que parecía un complejo turístico para verlo completamente vacío apenas quedó acabado, me decía en mi incurable simplicidad: "O Dios se burla de nosotros o es que quiere darnos una lección que no olvidemos nunca".

¿Y qué decir cuando he visto seminarios nuevos y vacíos, como en Rovigo, Bolonia, Santo Lussurgiu, Asís, Vicenza y en bastantes diócesis del mundo de habla hispana?

No creo que el Señor estuviera burlándose de su Iglesia. Quería más bien decir, de una forma un tanto enérgica, que era preciso cambiar la estrategia de las vocaciones.

Porque es inconcebible creer que Dios vaya a dejar a su Iglesia sin sacerdotes.

Sería una grave falta de fe.

No olvidemos que el sacerdote está ligado al misterio eucarístico y que yo no puedo quedar sin Eucaristía.

¿Entonces?

Entonces estoy convencido de que el cierre de los seminarios "de otro tiempo" era sólo un problema de "organización", debido a la estrategia imprevisible del Espíritu.

Dios tenía ya en su mente los nuevos seminarios..., los de hoy.

¿Cuáles son?

Yo los conozco un poquito por haberlos vivido dentro, por verlos nacer continuamente y desarrollarse con fortuna; pero nunca se me hubiera ocurrido que eran tan importantes.

Ahora sí que creo. Los seminarios de hoy son los movimientos que nacen en la Iglesia.

Como Francisco fundaba a los franciscanos, Clara Lubic funda a los focolares. Como santo Domingo fundaba a los dominicos, Kiko Argüello funda las comunidades neocatecumenales; como Ignacio..., así Giussani funda Comunidad y Liberación.

Probad y ved. Id a una Mariápolis o a una asamblea del Voluntariado. Asistid a alguna reunión de movimientos de Acción Católica. Entrad en los secretos del Opus Dei o pasad algunas horas de oración en los grupos de Renovación del Espíritu.

Haced una pregunta.

Intentad preguntar: ¿Quién de vosotros aceptaría ser sacerdote, trabajar en la comunidad como sacerdote, aceptar las cargas y las fatigas de ser sacerdote?

Se alzaría una selva de manos.

Médicos, maestros, empleados, ingenieros, artistas...,
cuántos, cuántos y cuántos en la Iglesia de hoy han madurado en su corazón el carisma de sacerdote, de servidor, de pastor...

Y a ninguno se le ocurriría, al alzar la mano, pedí-
roslo para hacer carrera, para obtener un beneficio,
para hacerse servir por los demás.

Es un hecho.

Si os lo digo es porque he probado, he preguntado,
he hablado, he escuchado. En la Iglesia no faltan sacerdotes; no digáis esa gran mentira: "faltan sacerdotes";
no es verdad.

Faltan los célibes, pero no faltan los sacerdotes.

¿Pero acaso es pecado no ser soltero?

¿Es un defecto de la naturaleza humana?

El sacerdocio es un servicio, y éste lo puede desem-
peñar tanto un soltero como un casado.

La elección toca al obispo. ¿No es mejor que pueda
escoger entre un número mayor de candidatos?

¿No es una ventaja?

Lo que importa es que escoja no entre quien busca
un beneficio, sino entre voluntarios al servicio de la comunidad; entre los que saben dar, no entre los desocu-
pados o los que no tienen qué hacer.

Y si esos inmensos seminarios que habéis construido os dan lástima al verlos tan vacíos, os sugiero que
hagáis una cosa: ante todo, no los vendáis; todavía pueden servir, pero... de otra manera.

Cuando pensé escribir este libro, como siempre,
busqué un lugar de paz en el que poder orar y trabajar
en silencio. Encontré un viejo convento dominico en
Taggia, en el mar Ligur; una casa estupenda, inmensa,
a propósito para cientos de religiosos que hoy ya no
existen. Los supervivientes, un grupo vivo e inteligente,
han tenido el mérito de no liquidarlo, sino de infundirle
vida. Toda la costa lo aprovecha. Es una constante su-

cesión de cursos de oración, de convivencias, de retiros. Sobre todo se ha convertido en la sede de los Cursillos de Cristiandad, que hacen de aquel lugar encantador la sede de sus encuentros y de sus oraciones. ¡Algo maravilloso!

Si en otro tiempo había en aquel convento cincuenta dominicos, hoy son cientos de otros "dominicos", vestidos de laicos, pero que viven el mismo misterio de Cristo en sus casas, dilatando y multiplicando la eficiencia del viejo convento, que se ha vuelto joven, fresco y vivo como antaño.

UNA ULTIMA COSA, puede que la más seria. Al menos es la que me ha movido a escribir sobre este problema. No me gustaría que nadie se molestase; y, sobre todo, no quiero hablar al tuntún.

Es el problema del celibato.

Para mí constituye un sufrimiento. No hay día que en mi celda de monje no me entere de la agonía de sacerdotes que vienen a llorar las contradicciones de un celibato mal entendido, mal soportado, mal vivido.

No está muy difundido en la masa de los sacerdotes de hoy el sacerdocio virginal, místico. Envueltos en la actividad farragosa de una parroquia, en contacto tan fácil con mujeres, casi sin oración personal, a menudo ricos y acomodados, no pueden soportar un celibato "ministerial".

En la manera común de vivir hoy el sacerdocio en las diócesis, diría que el verdadero celibato: místico, gozoso, exultante, creativo, es una excepción.

¿Pero cómo se las arregla la Iglesia para no verlo?

¿Cómo se las arreglan los obispos para soportar semejantes ambigüedades o, por lo menos, semejantes desastres de hombres, agobiados por el peso de un celibato sólo jurídico?

Sin embargo, se sigue.

No se hace otra cosa que hablar de reclutamiento de vocaciones, siguiendo caminos que han dado experiencias tan amargas. Las diócesis, precisamente las que han construido seminarios descomunales, en lugar de preguntarse cómo es que, después de tanto esfuerzo y de tal dispendio de dinero, el Señor ha premiado tan poco sus fatigas, haciéndoles gustar la tristeza de unos locales inmensos vacíos, que sólo albergan un escuálido grupo de candidatos, han comenzado a discutir si convenía o no abrir de nuevo los seminarios menores.

¿No es un desatino todo esto? ¿Es que la profecía ya no es familiar en las diócesis?

¿Y qué decir de quien centra todas sus energías en el hecho del paro de los jóvenes, en sus dificultades para instalarse en la vida, para reunir grupos de inseguros y de chicos que no saben qué hacer, que se acercan al seminario sobre todo para resolver sus problemas de estudio y frecuentemente de pan?

"Algo quedará", piensan ellos, que, sin darse cuenta, explotan la pobreza, intentando de mil maneras reunir algún elemento para demostrar la vitalidad del seminario y no verse obligados a confesar el fin de un sistema.

Por mi parte, deseando ver claro en esta cuestión, he ido a convivir por algún tiempo con los futuros candidatos al sacerdocio, con esos escuálidos grupos de estudiantes de cuarto o quinto año de teología, en los que se cifran todas las esperanzas para resolver el problema de las vocaciones...

Pues bien, precisamente a su lado me he decidido a escribir estas cosas.

Esos pocos son los que me han convencido de que es equivocado el camino que seguimos. Ellos, que están en crisis; ellos, que confiesan su malestar por tener que escoger. Y su malestar no se refiere a la aceptación del sacerdocio; se refiere a la aceptación del celibato.

Hay tristeza; a veces, ambigüedad.

126

No; dado el modo en que está organizada hoy la cristiandad, en que se vive la oración en las casas religiosas, la vida cómoda de los cristianos, el celibato místico es sólo una hipótesis muy rara y ciertamente insuficiente para el enorme número de sacerdotes que la Iglesia necesita.

Sí, estoy convencido. Dios mismo ha vaciado los seminarios, porque quiere otra cosa. Y esa cosa hemos de buscarla con sencillez de corazón y libertad de espíritu.

Sobre todo pienso que Dios no quiere ya célibes a la fuerza.

Creo demasiado en el celibato para verlo reducido a algo tan lamentable.

Y para salvarlo, no hay más que un modo: dejarlo como opción libre, impetrándolo humildemente como don de lo alto, como carisma que sólo el Dios de lo imposible sabe dar.

El día en que se haya liberado la elección y sea posible el sacerdocio en todas las direcciones, aumentarán los célibes, porque tendremos la prueba de que la Iglesia no cree en sí misma y no se atribuye, como hace poco, la capacidad de hacer célibes, sino que los espera solamente de Dios.

Y si la gracia ha de ser tan abundante que produzca en la Iglesia la maravilla de un número de célibes suficiente para el servicio del sacerdocio, sólo nos queda entonar el *Magníficat;* pero jamás hemos de volver a pensar —es algo básico para la espiritualidad del matrimonio— que por el hecho de casarse nos transformamos en cristianos mediocres.

DOS PALABRAS MAS para cerrar este capítulo, que, por su franqueza, puede haber atemorizado a alguno.

No me hago ilusiones.

Conozco a la Iglesia desde mi adolescencia. Desde que la bondad de Dios me llamó a seguir a Cristo, no he tenido más sueño que servir al Cuerpo de Cristo, que es la Iglesia. Sin vanagloria, puedo afirmar que pocos misioneros han hecho más kilómetros que yo. He recorrido carreteras y carreteras para llegar incluso a las aldeas más pequeñas y a las parroquias perdidas entre las montañas.

He trabajado en los movimientos internacionales y he visto todos los continentes.

He entrado en los conventos y seminarios para conseguir cuanto podía.

No he recorrido el mundo para hacer turismo, sino únicamente por la alegría de orar en las asambleas litúrgicas y tomar parte en lo que agitaba a la Iglesia.

Lo repito; no me hago ilusiones y comprendo el alcance de la propuesta que he tenido el valor de hacer como miembro de la Iglesia.

Sé también que la mayoría de las parroquias están todavía ligadas al pasado, o sea al culto, al clericalismo, al sacerdote tal como se le ha visto durante tantos siglos.

Si en estos lugares se cambiase, sería un desastre.

Mi misma madre y mis hermanos, de cuya fe, celo y adhesión a la Iglesia puedo dar testimonio, se escandalizarían si vieran subir al altar y presidir la Eucaristía al médico del pueblo, casado y con cuatro hijos.

Tengamos en cuenta los tabúes y la enorme influencia de las tradiciones de masa.

No se puede cambiar de golpe, especialmente en un tema que se ha exasperado, como es el del celibato, y sobre la exclusión de los casados del gobierno de la Iglesia.

Se necesitará tiempo; se necesitarán sobre todo cambios en el concepto de Iglesia como pueblo de Dios y de parroquia como comunidad, y no como posesión de un hombre llamado párroco.

Pero se puede comenzar pensando en ello y orando. Se puede comenzar contemplando la situación con serenidad; sin escandalizarse de que una mujer lea desde el altar los textos litúrgicos y que entre los monaguillos que rodean al sacerdote comience a verse, entre los chicos de costumbre, también alguna niña juiciosa.

La verdadera revolución se hará desde la base, desde la comunidad de fe, desde las comunidades que están habituadas a leer la Palabra, por las comunidades que siguen un camino de fe y que, en su madurez y con su equilibrio, adquieran el hábito de indicar al obispo los futuros candidatos para el servicio litúrgico.

Es algo fatal, pero que han de madurar con cordura los pastores, habituándose cada vez más a vivir con comunidades de oración en los puntos más alejados de las catedrales, en medio de los obreros y de los campesinos.

El proceso de transformación comenzará justamente en los países africanos, asiáticos, en América Latina, donde hace tiempo las comunidades están sostenidas en la fe por los laicos, y no por sacerdotes, habituados ya a llegar en el último momento para el culto y no para la evangelización, que no tienen tiempo de hacer, devorados como están por la prisa de... decir misa.

Y si queréis un consejo, especialmente hoy, cuando los hombres se han vuelto sumamente sensibles al testimonio, a la verdad, al servicio gratuito..., haced que el dinero desaparezca completamente de las relaciones con las cosas sagradas.

Será un modo único y radical de no tener necesidad de que los cristianos funden bancos y de caer bajo la servidumbre, aun sin quererlo, de los potentados.

Y si alguno os cita la palabra de Dios sólo cuando le conviene, sosteniendo que incluso el apóstol Pablo defendió el derecho a vivir del altar, no temáis responderle que han pasado dos mil años desde entonces y que el mundo moderno, con su técnica y madurez, sabe encontrar cuanto necesita la comunidad sin humillarla hasta el punto de que un sacerdote cobre por una misa o por cualquier otro rito litúrgico.

¡Por lo menos dejaréis a salvo la dignidad!

¿Es que no advertís la incongruencia, y a menudo la sordidez venal, de una sacristía o el modo irracional de llevar la administración regular de una parroquia, envuelta en el misterio?

¿No se os antojan cosas de otro tiempo?

Todos y todas somos sacerdotes

ESTUDIANDO LA VIDA verdaderamente excepcional de san Francisco, me he detenido con particular interés en los motivos por los que él, precisamente él, no quiso ser ordenado sacerdote.

Es curioso que todos los pintores le representen con particular insistencia en actitud sacerdotal. En efecto, las representaciones más clásicas que nos han llegado de él nos muestran a un Francisco que ora, con los brazos elevados, cual si quisiera ofrecer al Omnipotente, su buen Señor, las criaturas del universo visible e invisible, de las que él se siente oferente, voz y canto.

¿Quién sabe por qué Francisco no quiso ser sacerdote?

Por humildad, sugieren la mayoría.

¡Muy extraño! ¿Entonces el papa Juan, que quiso ser sacerdote, no era bastante humilde? ¿Y el cura de Ars, tan pequeño, siempre el último, carecía de humildad por su afán de ser sacerdote a toda costa?

No, no me convence la solución de la humildad. La humildad es verdad, verdad suprema, y el hombre que siente en sus entrañas el deseo de servir a sus hermanos como sacerdote no creo que carezca de humildad...; ¡al contrario!

¿Entonces?

Yo he encontrado una respuesta que me ha ayudado mucho y por la que doy gracias al gran umbro.

Francisco no quiso ser sacerdote porque tenía el carisma de desarrollar en la Iglesia una de las más grandes ideas de la mística de todos los tiempos; idea que, por ser demasiado hermosa, corre siempre el peligro de quedar marginada y hasta olvidada: la idea del sacerdocio de todos los bautizados, que en la jerga teológica llamamos "sacerdocio de los fieles".

Por lo demás, también como inspirador y fundador de órdenes religiosas, se atuvo siempre a la misma idea central que le inspiraba. No agrupó sacerdotes, aunque también le siguió alguno; no fundó una orden en la que el clero tuviera preponderancia y diera el tono.

No; terminantemente, no.

La mayor parte de sus seguidores se llamaban hermanos; eran simples laicos sedientos de consagración y que seguían siendo lo que eran antes: campesinos, artesanos, empleados, obreros.

Por lo demás, la línea del monaquismo occidental, cuyo inspirador había sido Benito, seguía desde hacía siglos la misma senda. En un monasterio benedictino, los monjes en su mayoría no eran sacerdotes. El servicio litúrgico quedaba asegurado por el abad y sus colaboradores; pero la masa de los religiosos no se ordenaba. Su carisma era el trabajo en los campos, hacer pan, tejer lana, construir muros, desecar pantanos, organizar los trabajos de la abadía.

La nota característica que imprimió Francisco al monaquismo occidental fue la de la pobreza más marcada y socialmente más evidente; pero no cambió la estructura del religioso de su tiempo, que se distinguía del clero y de sus tareas pastorales, diocesanas o parroquiales.

Sólo más tarde, y no sin resistencia, los monjes y los mismos "poverelli" fueron casi todos clericalizados.

Con ello ganaron las parroquias, que comenzaron a

contar con párrocos de entre los religiosos; pero perdió, y no poco, el carisma de los religiosos; carisma que fue debilitándose y perdiendo su fuerza primitiva.

En todo caso, cualquiera que sea la historia, esta realidad me ha ayudado a concebir a Francisco como un santo que me ha dicho: Yo no soy sacerdote; sin embargo, cuando me ofrezco yo mismo y las criaturas que me rodean a mi altísimo Señor, me siento profundamente sacerdote.

Haz tú lo mismo y díselo al que tiene los pies en el fondo de los arrozales, a quien trabaja en la oficina y tiene la casa llena de niños y de preocupaciones.

No lo olvidemos; en el bautismo nos hacemos todos sacerdotes; y de estos sacerdotes, verdaderamente sacerdotes, alguno es ordenado presbítero por el obispo en nombre de Cristo para el servicio de la Iglesia.

Qué fácil sería explicar estas cosas, aclarando unos términos que no han sido aclarados, de lo que siempre me asombro.

Bastaría decir:
1. todo el pueblo de Dios es un pueblo sacerdotal;
2. todo bautizado es sacerdote;
3. la comunidad tiene necesidad de guías, de pastores, de cabezas, de celebrantes, a los que llamamos "presbíteros", escogidos y ordenados por el obispo para el servicio de todo el pueblo sacerdotal.

Cómo me gustaría que el término de "sacerdote", que dice tan poco, fuese abandonado de una vez para siempre por el término más exacto y maduro de "presbítero".

Mas...

VOY A EXPLICARME MEJOR. Yo entré en la Iglesia de muchacho; y aunque no fui un buen cristiano, por mi condición he estado siempre atento a lo que se dice y se piensa de ella.

Siempre me ha resultado fácil absorber la cultura que circulaba dentro de las iglesias, los modos de sentir, las tradiciones más evidentes, las insistencias más determinantes.

Pues bien; debo decir que jamás he oído desarrollar una catequesis sobre el sacerdocio de un modo exacto. En mi cabeza de chico, de joven y luego de militante, el concepto sacerdotal se me explicaba solamente en función del sacerdocio ministerial.

Durante mucho tiempo estuve convencido de que sólo existía el sacerdocio de los presbíteros y que la función sacerdotal se pedía, como antiguamente, a la tribu de Leví.

Es decir, lo mismo que en el Antiguo Testamento las doce tribus de Israel encargaron a una tribu elegida el culto, así en el Nuevo..., etc., etc.

Tan arraigado estuvo en mí este concepto, que tuve dificultad para entender lo que quería decir Rosmini en su libro *Las cinco llagas de la Iglesia*.

Luego lo comprendí, y me sentí a disgusto, verdaderamente a disgusto.

¿Cómo era posible semejante silencio sobre la naturaleza sacerdotal de todo el pueblo de Dios? ¿Qué peligro puede correr la Iglesia de Jesús por afirmar con energía que todos los bautizados, hombres y mujeres, pequeños y grandes, sabios o ignorantes, son de pleno derecho sacerdotes?

¡Todos, todos, todos!

¡Incluso los pecadores!

Y lo son no por su mérito, sino porque están injertados en Cristo en el bautismo, y en él se hacen santos, profetas y sacerdotes.

De hecho está dicho: Sois un pueblo de santos, sois un pueblo de profetas, sois un pueblo de sacerdotes (cf 1 Pe 2,9).

¿Es verdad o no?

134

¿Es un sentimentalismo piadoso y devoto o es una verdad teológica?

¿Por qué entonces predicar con tanta insistencia esta grandeza sólo para los que son ordenados por el obispo?

¿Y dar la impresión, y no sólo la impresión, de que los laicos son los parias de la Iglesia y que no cuentan para nada?

Decía Rosmini que una de las plagas de la Iglesia era haber separado con la barandilla al pueblo sacerdotal, que se compone de todos los bautizados, en dos iglesias: los sacerdotes ministeriales del resto de los laicos, erigiendo así una iglesia dentro de la Iglesia.

¿El resultado?

Las fuerzas vivas del laicado, no estimuladas ya por la gran dignidad que le competía e insuficientemente alimentadas por la palabra de Dios que las llamaba a la santidad y la profecía, poco a poco se habían convertido en un peso muerto, en multitud anónima, incapaces de asumir en la Iglesia ninguna responsabilidad.

Tomad parte en una reunión sobre vocaciones, y no tendréis dificultades en comprender dónde se carga el acento.

Se diría que lo que cuenta en la Iglesia es el sacerdocio ministerial y que a él consagra todas sus energías y aspiraciones.

¿El resto?

Algo superfluo, una masa anónima.

Una vaca que ordeñar cuando se precisan recursos.

Una aglomeración a la que dirigir reproches o consejos juiciosos.

GRACIAS, FRANCISCO, porque con no ser sacerdote me has ayudado a entender que también yo podía serlo como tú, aun no siendo presbítero.

Porque también yo pasé por esta crisis, y no quise ser sacerdote.

He de decir que por otros motivos; motivos que fueron auténticos signos de los tiempos.

Desde luego, no por humildad. No quise ser sacerdote por razones de apostolado. Yo me formé bajo el pontificado de Pío XII, cuando, impulsados por la Acción Católica, los laicos comenzaban a adquirir conciencia de su dignidad en el servicio de la Iglesia.

Esta fue la gran intuición del papa Pacelli, papa particularmente sensible a la dignidad de los laicos y a su compromiso en el campo del apostolado.

Era una auténtica epopeya para nosotros, y cada uno se sentía comprendido y ayudado.

Fue entonces, justamente entonces, viviendo la Acción Católica, cuando decidí renunciar a ser sacerdote para poder gritar vestido de laico, a los laicos ignorantes y no concienciados, que la Iglesia es la Iglesia de todos, y no sólo de los sacerdotes, como las parroquias de entonces daban ampliamente la impresión de ser.

Todos éramos Iglesia, todos debíamos sentirla como cosa propia y trabajar en la difusión del Reino en la propia actividad, que comenzaba a adquirir el aspecto de auténtica vocación personal.

Fueron tiempos maravillosos; y doy gracias a Dios, que me los hizo vivir.

Sin embargo, debo confesarlo, no habíamos llegado aún a la plenitud; estábamos todavía en camino.

La plenitud llegaría con el Concilio.

Qué luz fue para cada uno de nosotros el vuelco de la teología de la Iglesia que el mismo Concilio estaba dándonos en su esfuerzo por "repensarse" como Iglesia, de acuerdo con lo que había dicho el papa Juan, y de perfilarse tan claramente con el papa Pablo.

La Iglesia no era ya una pirámide clerical; era un pueblo de Dios en marcha por el desierto; era una sociedad de fe y de oración, en la que cada uno tenía su puesto; era el misterio de Cristo vivo en la historia; era el pueblo que Cristo se había adquirido con su sangre y al que había transmitido, con su "aliento" en el Calvario, la santidad, la profecía, el sacerdocio.

Era la Iglesia de los tiempos nuevos.

HA LLEGADO el tiempo, y es el nuestro.

Acaso sea el principio de los últimos tiempos que anunció el profeta Joel:

"Derramaré mi espíritu sobre todo hombre,
vuestros hijos y vuestras hijas profetizarán,
vuestros ancianos tendrán sueños
y vuestros jóvenes visiones.
Hasta en los siervos y las siervas
derramaré mi espíritu aquellos días" (Jl 3,1-2).

Y con mayor amplitud lo dice el profeta Jeremías:

"He aquí que vienen días, dice el Señor, en que yo concluiré con la casa de Israel y la casa de Judá una alianza nueva.

No como la alianza que hice con sus padres cuando los tomé de la mano y los saqué del país de Egipto, alianza que ellos violaron, aunque yo fuera su Señor. Esta es la alianza que haré con la casa de Israel después de aquellos días, dice el Señor: Pondré mi ley en su interior, en su corazón la escribiré. Entonces yo seré su Dios y ellos serán mi pueblo. No tendrán ya que instruirse mutuamente, diciéndose: Reconoced al Señor, porque todos me conocerán, desde el más pequeño al mayor" (Jer 31,31-34).

Los tiempos nuevos son los de Cristo.

El es el único, eterno sacerdote.

Abolido el viejo sacerdocio, en la nueva Alianza es él el sacerdote único y eterno.

Pero en su misericordia ha querido asociar a sí a su pueblo, pueblo de adquisición, la Iglesia.

Y la Iglesia no es otra cosa que el cuerpo del Señor.

Y toda ella participa de su vida sin distinción.

Si él es santo, nosotros somos santos.

Si él es profeta, nosotros somos profetas.

Si él es sacerdote, nosotros somos sacerdotes.

Somos su pueblo, que es pueblo de santos, de profetas, de sacerdotes.

El gran sacramento es el bautismo; con él somos injertados en Cristo para siempre.

En él morimos; en él resucitamos.

Nuestra grandeza es ahora esta savia que pasa a nosotros de su tronco de vida.

No es posible separarse de él. Y el Apóstol dirá: "¿Quién nos separará del amor de Cristo?

¿La tribulación, la angustia, la persecución, el hambre, la desnudez, el peligro, la espada?...

Nada nos separará del amor de Dios manifestado en Cristo Jesús" (Rom 8,35-39).

Todo el resto depende de esta realidad extraordinaria.

Cristo es mi alma.

Cristo es mi fuerza.

Cristo es mi santidad.

Cristo es mi profecía.

Cristo es mi sacerdocio.

En él nos hacemos capaces de algo imposible para el hombre: ofrecernos a nosotros mismos al Padre como oblación santa.

Esto es el compendio de todo, la síntesis de todo: la capacidad de ofrecerse al Padre, y ésta es el alma del sacerdocio.

La capacidad de ofrecerse a sí mismos a Dios como acto de amor.

Y cada uno de nosotros es sacerdote en la medida de esta capacidad, que sólo el Espíritu Santo puede transmitirle a un hombre.

Luego vendrá todo el resto: el culto, el sacerdocio

ministerial, la ordenación para el servicio de la comunidad.

Pero el compendio de todo, la fuerza unificadora de todo, está en la capacidad que da el Espíritu a los bautizados, en la muerte de Jesús, de ser como Jesús: ofrenda de sí al Padre.

Oh, si mi madre hubiera sabido esto, ¡cómo se hubiera alegrado!

Pero no lo sabía, porque el catecismo de su tiempo no se lo había dicho.

En casa no hacía más que repetir: ¡Qué contenta estaría si un hijo fuese sacerdote!

No sabía que lo que realmente contaba, para ella y para sus hijos, era ser en Cristo sacerdotes.

Y también ella lo era, ¡querida madre!

PERDONAD, HERMANOS, si me he calentado un poco.

Debo deciros que este descubrimiento ha tenido una gran influencia en mí como Iglesia; y no he echado precisamente flores contra los catequistas mal formados e incompletos de mi tiempo.

Ahora me siento tranquilo; el Concilio, al delinear a la Iglesia como pueblo de Dios, me ha ayudado verdaderamente.

Y me siento en paz con el último catecismo de adultos publicado por la CEI.

¡Qué madurez!

¡Qué alegría da leerlo!

Vamos a contarnos

DE PEQUEÑO, cuando las cosas iban mal, oía decir en la parroquia: "Hagamos una procesión solemne".

Cuando crecí, y las cosas iban peor, había quien sugería en la diócesis: "Deberíamos hacer una gran concentración".

Ahora que soy anciano y las cosas van malísimamente, parece que la solución pueden ser las grandes asambleas.

Estamos otra vez en el principio.

Es curioso la necesidad que sentimos de contarnos.

Es como si, debilitados por nuestras deficiencias, buscásemos la panacea poniéndonos a gritar nuestras canciones en la plaza.

Es como si, preocupados por nuestro vacío espiritual, buscásemos nuestra seguridad en la fuerza del número, como pequeña droga que puede ayudar al que se siente débil.

Parece, sin embargo, que las cosas no ocurrieron de otra manera en el pasado. También en esta materia podríamos decir con los antiguos: nada nuevo bajo el sol.

Lo mismo con Constantino, que con Carlomagno, que con Heraclio, tan apasionado por las cruzadas, el truco es siempre el mismo; atemorizados por la dureza de la fe y de la cruz, buscamos ayuda en un proyecto político.

Incapaces de creer en lo que dice la Palabra: "Mi

ayuda es en el nombre del Señor que hizo el cielo y la tierra" (Sal 124,8), nos contentamos con afirmar: "Mi ayuda es en nombre de..." (y aquí podemos colocar el nombre de un Estado, de un diputado, de un masón, de un voto o de un "camorrista"), que ciertamente me echará una mano.

No obstante, parece que ya el antiguo pueblo de Dios recibió una clara lección, expresada con palabras de fuego; pero... ¡es tan fácil olvidar!...

Cuenta la Biblia que David, hacia el final de su reinado, tuvo la ocurrencia de contar las fuerzas de su pueblo y dio la orden de hacer un censo. Naturalmente, no le bastó la amonestación de Joab, que le advertía que sólo Yahvé "tenía los registros", los verdaderos; se empeñó en llevar adelante su orgulloso proyecto.

Al acabar el censo el pobre David, que había desobedecido a Dios, que no quería... que se contase, oyó que Gad le decía en nombre del mismo Yahvé:

"Te doy tres cosas a escoger: tres años de carestía en el país, tres meses de fuga ante el enemigo, tres días de peste".

No fue fácil la elección para David. Si queréis saber cómo terminó la historia, repasad el capítulo 24 del segundo libro de Samuel.

EL HECHO ES que el mal está dentro de nosotros y no es fácil desarraigarlo; no es fácil ni siquiera para los papas.

También a los apóstoles les entraban ganas de vez en cuando de tener un encuentro en Jerusalén, pero no precisamente donde quería hacerlo Cristo.

Se encontraban todos camino de la capital (las capitales siempre han tenido la fuerza de atraer nuestra atención), y quizá alguno tenía ya bajo la túnica el cuchillo, como Pedro; aquel cuchillo que sacó la noche famosa en la oscuridad del huerto de los Olivos, y del que se sirvió para cortar la oreja a Malco. (Por cierto, que de haberse estado quieto Malco, le hubiera llevado alguna cosa más, y no sólo la oreja, con aquel golpe, de la rabia que tenía Pedro.)

También Jesús quería hacer una reunión, pero en un contexto algo distinto de las intenciones de los doce, y sobre todo de Pedro.

Escuchad lo que dice Jesús, según nos lo refiere Mateo:

"Desde entonces comenzó Jesús a declarar a sus discípulos que debía ir a Jerusalén y padecer mucho de parte de los ancianos, pontífices y escribas, y ser matado" (Mt 16,21).

La asamblea propuesta por Cristo era de otra índole. El colegio apostólico no tenía las mismas ideas; ciertamente, no estaba maduro para comprender.

Por lo demás, ¿quién podía comprender un vuelco tan radical como el propuesto por Jesús?

¿Quién podía entender el proyecto oculto en los siglos, que estaba a punto de desvelarse?

¿El proyecto "Jesús", en el que la victoria se obtiene perdiendo, la fuerza del creyente está en su debilidad (2 Cor 2,9-10), la felicidad está en la pobreza y no en el poder, y la muerte es una ganancia? (Flp 1,21).

Pienso que tampoco Jesús pretendía que, siendo hombres que habían empezado a seguirle desde hacía poco, pudiesen captar en todo su alcance el misterio encerrado en sus palabras.

Preparaba el terreno; él mismo dirá: "Ahora no podéis comprender. Pero vendrá el Espíritu y os lo explicará todo" (Jn 16,12-13).

Y el Espíritu llegó y, para hacerse notar, sacudió de lo lindo las puertas de Jerusalén; pero...

Muchos están convencidos de que con la llegada de la Iglesia todo queda en orden, claro y fácil; pero las cosas no son así.

¿Quién de nosotros nace en el Nuevo Testamento?

¿Quién de nosotros ha sido capaz de absorber el pensamiento de Jesús, especialmente sobre el misterio de la cruz?

Aunque bautizados, nuestros pies están aún clavados en el Antiguo Testamento, y conocemos las murmuraciones del desierto más que las bienventuranzas de la nueva Jerusalén.

No es fácil aceptar a Jesús en toda su amplitud y profundidad. A la misma Iglesia le es más fácil aceptar la ley del Antiguo Testamento que la novedad del amor contenida en el Nuevo.

A cada instante estamos tentados a volver a la seguridad de la ley. Muchas cosas se han comprendido, incluso pronto, pero no todo.

Yo diría que en esta tierra no podemos llegar nunca al fondo del pensamiento de Jesús.

Lo intentamos...

Entendemos unas cosas y otras no...

Algunas cosas las entendemos al principio de la vida; otras, al final.

Algunas cosas las entendemos en el siglo III de la Iglesia, otras comenzamos a entenderlas en el siglo XX.

Es un camino, que es el camino del pueblo de Dios; pero no deja de ser un camino.

Si no estáis convencidos, leed la historia de la Iglesia y veréis que no sólo Jomeini ha sido capaz de liquidar al que no pensaba como la instancia oficial.

Pero yo ya no me desasosiego. El Espíritu me ha dado la gracia de ver mi pecado, que es verdaderamente grande, grande, grande, con lo cual me ha quitado las ganas de mirar a mi alrededor para ver si había pecados mayores que los míos.

En todo esto no ha ocurrido más que una cosa: que Cristo ha salvado a todos, y que una Iglesia que no pecase no me gustaría, porque no sería la mía; no se me parecería, no me amaría, me juzgaría, me condenaría;

144

sería antipática, como son antipáticos los que sólo se ven a sí mismos y sus virtudes y no saben llorar sus pecados.

HERMANOS, recordémoslo bien: nadie de nosotros nace en el Nuevo Testamento; aunque seamos bautizados, durante muchos años nuestros pies siguen pisando la tierra de la esclavitud de Egipto, las aguas de Meribá o el desierto de la prueba.

Y lo que es peor, durante un tiempo casi ilimitado permanece en nuestra piel el deseo de vencer como en el primer éxodo de los hebreos.

Parece imposible que no seamos capaces de avanzar sin tener deseos de abatir a alguien, sin dar empujones, sin ver en alguno... a enemigos nuestros.

Por esa razón contamos. Queremos ser más numerosos que los otros; queremos tener razón.

Calculamos el poder de nuestras Iglesias por el número.

No nos preocupa si, mientras bloqueamos una ciudad con una gran procesión, hacemos blasfemar a los que no piensan como nosotros porque no pueden pasar...

Por lo menos, no estaría mal si nuestra propensión al número, a la fuerza, a la seguridad, fuese honesta, verdadera, auténtica, dictada por el amor.

Pero no es así.

Por debajo, lo que interviene es el orgullo, el sentido de la superioridad sobre los demás, la certeza de que somos mejores, de que estamos más en lo cierto.

La primera vez que tomé parte en la oración con los musulmanes, oí detrás de mí a un viejo árabe susurrarle al vecino: "¿Qué hace aquí ese perro cristiano?" El cumplido iba dirigido a mí.

¿Habéis encontrado en vuestra vida a alguien, especialmente si es religioso, que declare abiertamente que su Iglesia no había visto claro?

¿A un marxista afirmar que está equivocado?

¿A un católico decir que un protestante tenía razón?

¿A un testigo de Jehová gritar en la plaza que es posible que un papa sea honesto?

¿A un inglés admitir que un napolitano sea mejor que él?

¿A *L'Osservatore Romano* afirmar, aunque sea a pie de página, que un comunista ha combinado algo bueno?

No, no lo habéis encontrado, no lo habéis visto, no lo habéis leído. Y si por ventura os ha ocurrido (que todo es posible), anotadlo en vuestra agenda como algo rarísimo.

He ahí por qué contamos.

Queremos ser mejores que los demás; queremos tener la exclusiva de la verdad.

La vieja ascética, que usaba pocas palabras, decía que el pecado mayor es el orgullo. Y Dante mismo, que, como buen teólogo, era experto en la materia, revestía a ese pecado con la piel del león, considerado en su tiempo invencible para el hombre desarmado.

SI, ES EL ORGULLO el que nos mueve, sin que con frecuencia nos demos cuenta, especialmente si es de índole religiosa.

Basta pensar en las guerras de religión, y en las guerras santas, cuyo ejemplo tenemos hoy en el Medio Oriente.

Gracias a Dios, el Concilio nos ha madurado un poco, llegando incluso a aceptar no sólo la libertad religiosa, sino a buscar con rectitud y sinceridad el diálogo con todos.

Cuando escribí a Pablo VI manifestándole un deseo mío de que la Santa Sede intentase fundar una comisión de estudio para las relaciones con los musulmanes, me respondió: "No sólo con los musulmanes, sino con todos; dialogaremos incluso con quien afirma ser ateo".

Por algo era un gran Papa.

Pero volvamos a los encuentros, al contarse, a las grandes asambleas, a la fuerza.

Entendámonos; no pretendo acusar a nadie.

Me cuento entre los más grandes pecadores, y en este camino de reuniones camino de Jerusalén soy experto.

No; ahora que soy viejo me dan ganas de reír, y si me preguntarais: "¿Volverías a hacer el encuentro de las trescientas mil boinas verdes?", os diría que sí. Volvería a hacerlo. No podría evitarlo.

Es necesario también equivocarse. Me explico.

Cuando trabajaba en la Acción Católica, recuerdo que uno de los defectos (lo llamábamos sencillamente pecado) era el del respeto humano.

¿De qué se trataba, en pocas palabras?

Se trataba de una realidad muy amarga para el que se sentía solo, especialmente en el campo; ¡y no eran pocos!

En clase, los cristianos éramos siempre minoría; en las fábricas, bichos raros.

Debo decir que, en mi adolescencia, lo mismo en la escuela que en el barrio, tuve que batirme siempre contra la masa.

La opinión pública, la moda, el bar, el cine, eran casi siempre hostiles a Cristo, a la Iglesia. La consecuencia era que el grupo, la asociación, era como una roca fuerte, una defensa, un modo de no vernos arrastrados en nuestra debilidad.

Al hablar de respeto humano queríamos estimular a los compañeros y a nosotros mismos a tomar conciencia, a no amedrentarnos.

El número nos daba la impresión de ayudarnos en las convicciones.

Por eso no me sorprendo cuando oigo hablar a los grupos de Comunión y Liberación y veo cómo organizan su acción en una universidad o un liceo.

Son como Pedro camino de Jerusalén; intentan ayudarse y no tener miedo.

Todo o casi todo el cristianismo político, la transformación de la fe en Jesús en cristiandad visible con su espesor ofensivo y defensivo, se resiente de este problema psicológico.

Es fatal.

Sin embargo, con una fe como la de Cristo, al ponernos en su seguimiento deberíamos tener una cosa bien clara que él nos ha revelado: en nuestro obrar hay algo limpio y algo menos limpio.

Me explico.

Cuando decidimos encontrarnos en Roma todos juntos para recitar nuestro credo en la plaza de San Pedro, el impulso era auténtico y el amor dominaba nuestros pensamientos y nuestros esfuerzos.

Nosotros mismos no pensábamos que éramos tan numerosos, y puedo afirmar que aquella noche verdaderamente santa, toda ella impregnada de oración y de fe, el Espíritu estaba presente en todo su esplendor y toda su transparencia.

No había pecado de triunfalismo, no realizábamos el encuentro para demostrar superioridad. Eramos como niños felices por ser tantos y dar gracias a Dios.

Podría jurarlo.

¿Dónde podía anidar el mal?

Anidaba en nosotros y en quienes, viéndonos fuertes, no perdieron tiempo para traducir aquella realidad en proyecto político.

Que una guapa mujer se mire al espejo, después de todo no está tan mal; pero que, al verse guapa, se pase las horas complacida ante el espejo puede convertirse en un peligro.

De la misma manera. Al vernos fuertes, numerosos,

comenzamos a creer en esta fuerza, y ello fue nuestra debilidad y el principio de nuestro declinar.

Hermanos, es difícil vivir.

Es difícil vivir el Evangelio.

Jesús nos plantea exigencias terribles, y la misma Iglesia, que es la esposa de Cristo, no escapa al peligro del poder, del orgullo, de la avidez, de la posesión.

¡Y se lo ha advertido Jesús!

Que haga sus reuniones, pero que recuerde bien que la verdadera reunión es la soledad del Calvario, y que su verdadera fuerza no estará nunca en el número, sino en la fidelidad a la desnudez de la palabra de Dios y de la cruz de Cristo.

Y ya que estamos en plan de confesiones, os diré una sola cosa para cerrar esta historia.

Después del encuentro, que demostró nuestro poder, nadie me advirtió el peligro que estaba infiltrándose en la organización y que entrañaba debilidad, arribismo, cálculo.

Si hubiera encontrado un hombre que, en nombre de Dios, me hubiese dicho: "¡Cuidado, porque donde crees ser fuerte eres débil!"

Solamente en el desierto, más tarde, lo comprendí al evidenciarme cada vez más la palabra de Dios el profundo significado de la derrota de Jesús, a la vez que Pablo me repetía: "Con gusto me gloriaré en mis debilidades para que more en mí el poder de Cristo" (2 Cor 12,9).

¿MASOQUISMO?

¿Victimismo?

¿Renuncia a batirse?

¿Dejar el campo libre a Satanás para que conquiste el mundo y poder decirle después de su derrota, que es segura: "Has visto que yo tenía razón"?

¿Amor a la paz a toda costa?

¿Compromiso fácil?

No, hermanos; nada de todo esto. Sino el secreto más profundo de Cristo para conquistar el mundo.

Cristo no juega con las cartas del mundo; juega con las suyas.

Y sus cartas son completamente desconocidas para su adversario.

"¿Quién creerá nuestro anuncio?", dice Isaías. "¿A quién se ha manifestado el brazo del Señor?" (Is 53,1).

De este modo vence Jesús. Este es su encuentro conquistador.

"Creció ante él como un pimpollo,
como raíz en tierra seca.
Sin gracia ni belleza para atraer la mirada,
sin aspecto digno de complacencia.
Despreciado, desecho de la humanidad,
hombre de dolores avezado al sufrimiento,
como uno ante el cual se oculta el rostro,
era despreciado y desestimado.
Con todo, eran nuestros sufrimientos
los que llevaba,
nuestros dolores los que le pesaban,
mientras nosotros le creíamos azotado,
herido por Dios y humillado.
Ha sido traspasado por nuestros pecados,
deshecho por nuestras iniquidades;
el castigo, precio de nuestra paz, cae sobre él,
y a causa de sus llagas hemos sido curados...
Era maltratado y se doblegaba
y no abría su boca;
como cordero llevado al matadero,
como ante sus esquiladores una oveja muda
y sin abrir la boca" (Is 53,2-5.7).

TAMBIEN AQUI podríamos repetirle a Cristo: ¿Masoquismo?

¿Victimismo?

¡No, hermanos; no!

Jesús juega la carta de su sacrificio no para perder la batalla, sino para ganarla.

Su no violencia no es para dar la victoria a su adversario, el mal, sino para derrotarlo del todo, para derribarlo con amor, para convertirlo en el fondo a la verdad.

Isaías termina el canto del servidor con esta victoria:
"Si ofrece su vida en expiación,
verá descendencia...
Después de las penas de su alma verá la luz
y quedará colmado.
Mi siervo, el justo, justificará a muchos
y sus iniquidades cargará sobre sí.
Por eso le daré multitudes por herencia,
y gente innumerable recibirá como botín"
(Is 53,10-12).

¿No es esto victoria?

No hay nada que conquiste como la cruz.

Nada más poderoso que la sangre de los inocentes.

Si Jesús me ha conquistado y me siente suyo, y no puedo ser sino suyo, lo debo a esta estrategia suya de amor.

De haber venido a mí en un caballo blanco armado hasta los dientes, como lo quería mi religiosidad infantil del Antiguo Testamento, le hubiera abandonado.

Al verle llegar a mí escupido, ensangrentado, cubierto de oprobios y de traiciones, le he estrechado contra mi corazón y le he dicho: soy tuyo para siempre.

Jesús, ¡has vencido!

No creo ya en la violencia, en la fuerza, en el poder; creo en el modo como tú me has amado y amas al mundo.

Cristo, ¡eres verdaderamente el Hijo de Dios!

¡Eres el Salvador del mundo!

¡Eres mi todo!

Misericordia quiero, no sacrificio

EL PRIMER DESCUBRIMIENTO de Dios no le facilita nada al hombre el sentido de la misericordia para con los pecadores.

¡Al revés!

Las religiones, cuando se encuentran en la aurora de su historia, se caracterizan por la severidad, por la dureza y hasta la furia, diría, contra el que viola la ley: "ofende a Dios", según suele decirse. La religión hebrea, tronco de la que nació la cristiana, que es su desarrollo y plenitud, no es una excepción.

Ello es tan evidente, que no es preciso documentarse con textos.

No son pocos los que, por falta de preparación, cuando acometen la lectura de la Biblia terminan cerrando el libro sorprendidos y hasta espantados por la evidente dureza de Dios respecto a los pecadores.

Lo cierto es que la Biblia recorre un camino, que es el camino del pueblo de Dios, dando testimonio en su itinerario del descubrimiento progresivo del Dios que ha de revelarse en su plenitud y en todo su esplendor en Cristo.

Por eso hay quien dice: "Saltemos todo el Antiguo Testamento y pasemos en seguida al Nuevo; así no perderemos tiempo".

153

Pero la realidad no es así. La verdad y el amor han seguido precisamente ese itinerario, y tú debes tener paciencia.

Cuanto más te detengas en el Antiguo Testamento, más te prepararás para el Nuevo; cuanto más camines con paciencia con el Deuteronomio, mejor entenderás el Evangelio; cuanto más permanezcas en el desierto, más amarás el Apocalipsis; cuanto más leas el Levítico, más comprenderás la Carta a los Hebreos; cuanta mayor atención prestes a Ezequiel, mejor percibirás los gustos de Juan; cuanto más aprendas de memoria a Isaías, mejor vislumbrarás la fotografía de Jesús en el Evangelio.

Así es.

Y lo es también en lo que respecta a la actitud de Dios para con los pecadores.

Cuanto más intentes comprender la rudeza del Antiguo Testamento con el que viola la ley, más preparas tu corazón a acoger la misericordia de Jesús hacia los pecadores.

Por lo general, el celo de la verdad y las cosas de Dios, y cuanto se origina de un contacto más próximo con él, desencadena en nuestro ánimo el deseo de castigo ejemplar para los transgresores, e incluso la obsesión de ver desaparecer al impío de la faz de la tierra.

"¡Ojalá, oh Dios, mataras al impío!" (Sal 139,19).

Las religiones primitivas son particularmente feroces con el que delinque, y la pena de muerte procura un placer y una satisfacción muy particulares a los pontífices y a los defensores del llamado orden divino.

No es exclusiva de Jomeini la adhesión fanática a la ley, que sacrifica a las adúlteras y desentierra después de siglos la lapidación "como lo había establecido Moisés".

Cualquier hombre al hacerse religioso se hace espontáneamente hombre de orden, y se vuelve particularmente violento contra quienes lo perturban.

154

Los pecadores y los publicanos son mucho más misericordiosos con el que peca. Y no hablemos de las prostitutas, que poseen una particular dulzura con los pobres diablos, los alcoholizados y los "rateros" en general.

Recuerdo que después de convertirme era un defensor fanático de la moral, y hubiera quemado a todos los pecadores y a cuantos no tenían en cuenta el sexto mandamiento.

Es realmente extraño que en las Iglesias niñas e inmaduras el único pecado que se persigue sea el pecado contra la castidad.

Luego, más arriba, la violencia se desencadena contra los herejes y cismáticos.

Para éstos se ha usado la tortura, la hoguera y no ha conocido fronteras la falta de misericordia.

Cuando los judíos o los cristianos, con humildad y paciencia, lean la historia, la verdadera, de su pasado, se asombrarán de ser herederos de otros judíos y de otros cristianos que, por el celo de Dios, fueron capaces de descuartizar, quemar y ensartar a tanta gente, condenada por el solo motivo de no pensar en todo como pensaban los representantes del poder.

En resumen: si la Iglesia de Jesús, la sinagoga de Jerusalén, no tuvo compasión del mismo Jesús y lo entregó a Dios como ofrenda sacrificial crucificándolo, no se trató de un caso raro; otros muchos fueron servidos más o menos del mismo modo, pensando justamente como lo había dicho Jesús: "Llegará la hora en que el que os mate crea que da culto a Dios" (Jn 16,2).

¡Qué de agua habrá de correr, incluso bajo los puentes del Tíber, para que el Evangelio, el de Jesús, penetre finalmente en las venas de su Iglesia!

Y la vuelta al fuego está siempre preparada a dar marcha atrás.

Basta recordar el terrorismo para oír gritar: "Es precisa la pena de muerte". Basta que la inmoralidad aparezca un poco descarada para que muchos sueñen con condenas ejemplares y castigos drásticos.

Nada de nuevo.

El proyecto "muerte al pecador", "fusilar al delincuente", es herencia de todas las generaciones y va a la cabeza de las soluciones más fáciles de los problemas.

En bastantes naciones la ley civil piensa así y estima que de esa manera las cosas irán mejor.

El inocente estará más defendido.

La familia más compacta.

Las generaciones serán más morales.

El adulterio más raro.

Los matrimonios más sanos.

Los nacimientos más numerosos.

El hombre, Adán, tiene la cabeza para razonar, el corazón para amar y la voluntad para decidir.

Y decide.

Pero es Adán, el hombre Adán; y actúa como Adán.

MAS ADAN no es Jesús; mejor, Jesús es el nuevo Adán, y Jesús tendrá el valor de decir: "Se ha dicho: ojo por ojo y diente por diente...; pero yo os digo..." (Mt 5,38).

Y pasará la página.

El, Cristo, es el paso del Antiguo al Nuevo Testamento.

El es la revelación de un Dios que había sido deformado por nuestros terrores infantiles y por nuestro sentido limitado de la justicia y del amor.

Si en mi infancia espiritual el pecador desataba mi ira y encendía en mí la pasión de eliminarle o al menos de castigarle, en la madurez de la revelación de Jesús el pecador me inspira compasión y despierta en mí misericordia.

156

Es un hecho; no lo niego. De joven estaba por la pena de muerte; hoy, que soy viejo, ya no lo estoy.

Pero no sólo eso. Cuando entré en la Iglesia y daba mis primeros pasos en ella, no sabía distinguir entre guerra de defensa y guerra santa; hoy, que estoy cercano a la muerte, no creo ya en una ni en otra.

Creo en la no violencia.

Creo en la sangre de los inocentes.

Creo que se vence perdiendo.

Creo en el verdadero desarme.

Creo en el lobo de Gubbio.

Creo en la capacidad de un pueblo que no se arma ya aunque esté rodeado de pueblos armados.

Creo en la profecía más que en la política.

Creo en Gandhi.

Creo en Lutero King.

Creo en el obispo Romero.

Creo en el papa Wojtyla que, después de dos atentados, sigue desarmado entre las multitudes, tendiendo las manos como saludo.

Creo y espero en el pueblo polaco, que prefiere ir a la cárcel y seguir protestando y perdiendo el puesto de trabajo en lugar de preparar bombas para expulsar a sus opresores.

¡Qué ejemplo sería el de un pueblo que consiguiese vencer con la sola fuerza de la no violencia sin derramar la sangre del enemigo!

Y cómo rezo para que ocurra esto, rescatando un poco a los católicos de sus violencias pasadas.

A MI, en un plano religioso, que es el verdadero y el más maduro, me interesa lo que dijo Jesús, y hago, o mejor, intento hacer lo que hizo Jesús.

El hombre Adán me puede enseñar cómo se construye un coche, cómo se hace una operación quirúrgica, cómo se guía una nave espacial.

Jesús me enseña cómo entrar en el Reino, que es su Reino.

Entre una ley civil que acepta la pena de muerte para el que me hiere y Jesús que me dice: "Ofrece la otra mejilla", sé a qué atenerme en el fondo de mi conciencia.

Entre una ley civil que mete en la cárcel a la adúltera y el modo de tratarla empleado por Jesús en el Evangelio, sé realizar mi elección, aunque se escandalice algún individuo piadoso.

No mezclo las cartas; sé cómo comportarme.

Y si tengo que vivir en un país en que se encarcela a las adúlteras, voy a visitarlas a la cárcel para llevarles un poco de fruta. Pero si vivo en un país libre, donde puedo expresar mi parecer con el voto, dejo a las adúlteras fuera de la cárcel, con su libertad de pecar..., aunque su pecado me desagrade mucho, mucho, mucho.

EN ESTE LIBRO he querido resumir, para mis amigos y para cuantos están deseosos de buscar a Dios, el camino que he recorrido.

Hubiera podido titular el libro Experiencia de Dios-experiencia de Iglesia; pero luego se ha impuesto la inspiración que me sugirió Augusto Guerriero, que es más clara, y ha salido mi *He buscado y he encontrado*.

Pues bien; en el fondo, ¿qué es lo que he encontrado?

Os lo diré en pocas palabras.

En la vertical del Absoluto de Dios le he encontrado a él, a Dios, en la contemplación.

Sí; ha sido la contemplación la que me ha dado no solamente la certeza experimental de su existencia, sino el calor de su presencia y la maravilla de su obrar en la historia del hombre y en la inexhausta dinámica de la evolución.

¿Y en la horizontal de lo humano? ¿En esta dimensión que indica la relación total con el hombre, con la familia humana, con los hermanos de todo el mundo?

¡He encontrado la misericordia!

Lo que me ha convencido sobre el ser de Dios es la contemplación.

Lo que me ha convencido de su vida y de su corazón es la misericordia.

Me he convertido a Dios en la oración; he descubierto su realidad en la capacidad de perdonar.

Lo más que puedo decir de él es que es el "misericordioso", y creo en la salvación universal.

La capacidad de amar en Dios, su sed de justicia, su combate contra el mal, su deseo de abrazar al hombre como hijo querido, junto con el poder que tiene de hacer nuevas todas las cosas, todo ello se resume en estas palabras de Jesús:

"Misericordia quiero, no sacrificio".

Por esta verdad podemos medir perfectamente nuestra auténtica adhesión a su pensamiento.

Si yo supiese solamente contemplar y no supiese perdonar, no sería de los suyos.

Si yo me macerase por su amor con todas las penitencias y no supiese abrir la puerta al hermano, aunque sea mi enemigo, no habría comprendido su reino.

Si yo diese mi cuerpo a las llamas para el triunfo de la justicia y tuviese un solo rincón de mi corazón dominado por la antipatía hacia uno solo de mis hermanos, estaría lejos del pensamiento de Jesús.

¿CUAL ES EL MOTIVO de esta actitud tan radical de Jesús?

¿Por qué tanta capacidad de amor, de predilección, diría, hacia el pecador?

La respuesta, aunque difícil de descubrir al comienzo del propio camino, es simple.

El pecador es el más pobre de todos, es el más enfermo de todos.

Si es verdad que la misericordia de Dios se siente atraída por el pobre, el pecador le atrae todavía más porque es el más pobre entre los pobres.

¿Qué es la pobreza de un hombre desnudo en el cuerpo en comparación con su desnudez de espíritu?

¿Qué es la falta de pan en comparación con la falta de amor?

¿Es más pobre Francisco desnudo pero libre o su padre vestido que idolatra sus riquezas?

No tiene límite la miseria del hombre violento, cruel, encadenado por los sentidos y reducido a una piltrafa por la droga y la lujuria.

No existe angustia mayor que la del que rehúye los grandes valores de la vida y se encierra en la soledad del egoísmo más refinado.

Si Dios es Dios, como es cierto que lo es, la jerarquía de la felicidad comienza por él; no al revés.

Cuanto más cerca está el hombre de Dios, tanto más es feliz; cuanto más lejos está, tanto más es pobre.

El pecado, que es fuga de Dios, no es interesante, no da alegría, plenitud, paz, y te traiciona continuamente.

Para el que ha probado, para el que conoce la verdad y ha gustado la dulzura de Dios y de su casa, el pecador es realmente el desgraciado que atrae su compasión.

Para el que ha experimentado el Absoluto, el pecador es alguien que no se realizará jamás, que andará siempre errando sin casa y sin meta.

¿Dónde está la casa del pecador?

¿Dónde la alegría del que traiciona?

¿Dónde la seguridad y la estabilidad para el que no cree, no espera y no ama?

Por eso todo el evangelio puede resumirse en la parábola de Lucas: la vuelta al Padre del hijo lejano.

La vuelta es la victoria de Dios, es la alegría misma de Dios.

En la misericordia sacia Dios su sed de amor.

Conociendo a Dios, aun sabiendo que existe la posibilidad de perdernos, me he convencido de que todos se salvan.

"Cueva
de ladrones"

¡CUAN CONTESTABLE me resultas, oh Iglesia, y, sin embargo, cuánto te amo!

¡Cuánto me has hecho sufrir, y, sin embargo, cuánto te debo!

Querría verte destruida, y, sin embargo, necesito tu presencia.

Me has proporcionado tantos escándalos y, sin embargo, me has hecho entender la santidad.

Nada he visto en el mundo más oscurantista, más comprometido ni más falso, ni he tocado nada más puro, más generoso y bello. Cuántas veces he tenido deseos de darte en los morros con la puerta de mi alma, y cuántas veces he suplicado poder morir entre tus brazos seguros.

No, no puedo liberarme de ti, porque soy tú, aunque no por completo.

Además, ¿dónde iría?

¿A construir otra?

Pero no podría construirla sin los mismos defectos, porque llevo dentro los míos. Y si la construyera, sería mi Iglesia, no la de Cristo.

Soy lo bastante viejo para comprender que no soy mejor que los demás.

El otro día un amigo mío escribió una carta a un

periódico: "Dejo la Iglesia, porque, con su comprensión para con los ricos, no se la puede creer".

¡Me da pena!

O es un sentimental que no tiene experiencia, y le excuso; o es un orgulloso, que cree ser mejor que los demás, más digno de crédito que los otros.

Ninguno de nosotros es digno de crédito mientras está en la tierra.

San Francisco gritaba: "Tú me crees santo, y no sabes que puedo tener aún hijos con una prostituta, si Cristo no me sostiene".

La credibilidad no es propia de los hombres; es sólo propia de Dios y de Cristo.

Lo propio de los hombres es la debilidad o, al máximo, la buena voluntad de hacer algo bueno con la ayuda de la gracia, que brota de las venas invisibles de la Iglesia visible.

¿Es que la Iglesia de ayer fue mejor que la de hoy? Por ventura, ¿era más digna de crédito la Iglesia de Jerusalén que la de Roma?

Cuando Pablo llegó a Jerusalén llevando en el corazón su sed de universalidad en alas del viento de su poderoso aliento carismático, ¿tal vez los discursos de Santiago sobre la circuncisión o la debilidad de Pedro, que se entretenía con los ricos de entonces (los hijos de Abrahán) y que daba el escándalo de comer sólo con los puros, pudieron ocasionarle dudas sobre la veracidad de la Iglesia que Cristo acababa de fundar e inducirle a fundar otra en Antioquía o en Tarso?

¿Acaso a santa Catalina de Siena, viendo que el Papa hacía —¡y cómo lo hacía!— una sucia política contra su ciudad, la ciudad de su corazón, podía venirle a la cabeza la idea de irse a las colinas de Siena, transparentes como el cielo, y hacer otra Iglesia más transparente que la de Roma, tan viscosa, llena de pecados y politicante?

No, no lo creo; porque tanto Pablo como Catalina

sabían distinguir entre las personas que forman la Iglesia, "el personal de la Iglesia" —diría Maritain—, y esta sociedad humana llamada Iglesia que, a diferencia de todas las colectividades humanas, "ha recibido de Dios una personalidad sobrenatural, santa, inmaculada, pura, indefectible, infalible, amada como una esposa por Cristo y digna de ser amada por mí como madre dulcísima".

Aquí está el misterio de la Iglesia de Cristo, verdadero e impenetrable misterio.

Tiene el poder de darme la santidad, y está fabricada toda ella, desde el primero hasta el último, de pecadores únicamente; ¡y de qué pecadores!

Tiene la fe omnipotente e invencible de renovar el misterio eucarístico, y está formada de hombres que bracean en la oscuridad y que se debaten todos los días con la tentación de perder la fe.

Es portadora de un mensaje de pura transparencia, y está encarnada en una pasta sucia, como está sucio el mundo.

Habla de la dulzura del Maestro, de su no violencia, y a lo largo de la historia ha enviado ejércitos enteros a destripar infieles y a torturar heresiarcas.

Transmite un mensaje de evangélica pobreza, y no hace más que buscar dinero y alianzas con los poderosos.

Basta leer el proceso hecho por la Inquisición a santa Juana de Arco para convencernos de que Stalin no fue el primero que falsificó las cartas y prostituyó a los jueces.

Basta pensar lo que se le hizo firmar al inocente Galileo, bajo amenaza, para convencernos de que, aun siendo Iglesia, los hombres de la Iglesia, el personal de la Iglesia, son malos hombres y personal sumamente ordinario, capaz de cometer errores tan grandes como la trayectoria recorrida por la tierra en torno al sol.

Es inútil querer buscar otra cosa en la Iglesia sino

este misterio de infalibilidad y de falibilidad, de santidad y de pecado, de debilidad y de valor, de credibilidad y de no credibilidad.

Quienes sueñan con cosas diversas de esta realidad no hacen más que perder el tiempo y comenzar siempre desde el principio. Y, además, demuestran no haber entendido al hombre.

Porque el hombre es tal como nos lo presenta la Iglesia; con su maldad y, al mismo tiempo, con su invencible coraje que la fe en Cristo le ha dado y le hace vivir la caridad de Cristo.

Cuando era joven no entendía por qué Jesús, pese a la negación de Pedro, quiso hacerle jefe, sucesor suyo y primer papa. Ahora ya no me sorprendo y entiendo cada vez mejor que haber fundado la Iglesia sobre la tumba de un traidor, de un hombre que se asusta ante la cháchara de una sirvienta, era como una advertencia continua para mantener a cada uno de nosotros en la humildad y en la conciencia de la propia fragilidad.

No, no salgo de esta Iglesia fundada sobre una piedra tan débil, porque llegaría a fundar otra sobre una piedra todavía más débil, que soy yo.

Por otra parte, ¿qué importan las piedras? Lo que vale es la promesa de Cristo y el cemento que une las piedras, que es el Espíritu Santo. Solamente el Espíritu Santo es capaz de hacer la Iglesia con piedras mal talladas, como somos nosotros.

Sólo el Espíritu Santo puede mantenernos unidos, pese a nosotros, pese a la fuerza centrífuga que nos suministra nuestro orgullo sin límites.

Yo, cuando oigo protestar contra la Iglesia, me siento a gusto y lo tomo como una meditación seria, profunda, que brota de una sed de bien y de una visión clara y libre de las cosas.

"Tenemos que ser pobres..., evangélicos..., no hemos de creer en la alianza con los poderosos, etcétera".

Pero al fin oigo que esta protesta se refiere a mi

párroco, a mi obispo, a mi papa, como personas; se refiere también a mí como persona, y me veo en la misma barca, en la misma familia, consaguíneo de pecadores matriculados y pecador yo mismo.

Entonces trato de protestar contra mí mismo y me doy cuenta de lo difícil que es la conversión.

Porque podría darse, y se da, que mientras estoy en el salón tras un opíparo banquete, discutiendo sobre los candentes problemas del colonialismo portugués con los amigos, sociólogos refinados, yo olvide a mi mujer en la cocina o a mi madre mientras lava completamente sola los platos usados en el festín. ¿O es que tal vez el espíritu del colonialismo no está en el fondo de nuestros corazones?

Porque puede suceder, y sucede, que en el mismo instante en que yo me lanzo con furor contra los pecados cometidos por el orgullo racial de los blancos sobre los negros, descubra que soy el tipo que siempre tiene razón, que le dice a su padre que no entiende nada porque es un pobre campesino y quema todos los días un poco de incienso ante ese ídolo que ha tenido la suerte de ser un "director", un "jefe", un "empleado", un "maestro" y, si es mujer, "un bonito cuerpo".

Entonces es cuando recuerdo la palabra de Jesús: *"No juzguéis para que no seáis juzgados. Porque con el juicio con que juzguéis seréis juzgados, y con la medida con que midáis seréis medidos"* (Mt 7,1-2).

No, no está mal protestar contra la Iglesia cuando se la ama; el mal está en criticarla poniéndose fuera, como los puros. No, no está mal lanzarse contra el pecado y las cosas feas que vemos; el mal está en cargárselas a los otros y en creerse inocentes, pobres, mansos.

Este es el mal*.

---

* Tomado del libro *Mañana será mejor,* de Carlo Carretto, Paulinas, Madrid 1983[16].

ESTO ESCRIBIA sentado en las dunas áridas y abrasadoras del desierto. Pues bien, a pesar de los años transcurridos desde mi vuelta a Europa, lo suscribo todo con la conciencia de entonces.

Sólo añadiré una cosa debida a la nueva experiencia que me ha dado mi reinserción vital en el tejido de la cristiandad y en la masa del mundo contemporáneo.

Ha sido terrible mi vuelta a la llamada... civilización.

Hubiera preferido morir allí en Africa.

Pero soy un Hermanito, y mi maestro, el padre Carlos de Foucauld, me ha enseñado y gritado en todos los tonos que los Hermanitos no son eremitas, y que su aislamiento en el desierto debe ser sólo temporal: una semana, cuarenta días, un año, diez años, como hice yo; pero luego hay que volver con los hermanos.

La tensión hacia lo absoluto de Dios ha de concluirse en la tensión hacia los hermanos, como hizo Jesús, como hizo Francisco, como lo hace la Iglesia, especialmente hoy.

La Iglesia —esta realidad humana y mística, que vive en cada uno de nosotros— debe estar a la vez en el desierto de la oración y en el desierto del compromiso en la ciudad.

Así es.

Y me vi obligado a volver.

Y a encontrarme con los hermanos en los caminos del mundo, como vosotros.

Y, como vosotros, a sufrir esta doble tensión que te hace llorar.

Y, como vosotros, a intentar reparar las brechas y los muros del mundo de siempre, que se desmoronan.

¡Qué sorpresa fue mi vuelta a la llamada civilización moderna!

Ya antes de la fuga había intuido que las cosas iban mal; pero jamás hubiera imaginado hasta qué punto habríamos de llegar de la crisis.

Jamás hubiera pensado que habríamos de llegar a fenómenos tan impresionantes y vastos como el terrorismo, la mafia y la camorra. Sí, ya antes había; siempre ha existido terrorismo o anarquía, pero no a nivel diríamos... universitario y capaz de arrastrar como enloquecida la mente de tantos jóvenes.

Existía la mafia; pero se velaba púdicamente, justificándose como defensa del pobre contra el rico, del débil contra el fuerte.

Ahora se ha bastardeado del todo, y sólo sirve al dinero, al poder y hasta a la política.

Existía la camorra —¿cuándo no ha habido un poquito de su modo de proceder en el hombre?—, pero no a nivel ciudadano e incluso nacional.

Como la metástasis de un cáncer inexorable, el mal ha subido a los ganglios vitales de la sociedad, aniquilando tradiciones seculares y antiguas defensas.

Los medios de comunicación social, que se han vuelto culturalmente ambiguos, no consiguen obstaculizar el proceso; antes bien, se convierten en eco inmenso, anónimo e inasible e inseguro; y, sin quererlo incluso, contribuyen a acelerar el proceso de disgregación.

Un chico de hoy ante la televisión está perdido.

Nutrido sólo de imágenes, ya no lee, no razona, se deja llevar y, casi sin darse cuenta, se convierte en un número.

El sexo desencadenado —como riqueza puesta con tanta facilidad al alcance de todos— le embriaga.

La droga, como sustituto de todos los valores y como intento de escapar del aburrimiento, le tiende trampas mortales.

Mirando las cosas superficialmente, podríamos decir en verdad: estamos en el fin de una época; es la caída del imperio; es el reino de las tinieblas.

PERO ¿qué importan estas consideraciones para lo que estábamos meditando sobre la Iglesia?

Sí, hermanos, importan; y he querido recordarlas porque, al hablar de la Iglesia, estas cosas ¡vaya si importan!

Incluso diré que fue éste un descubrimiento en mi larga experiencia de vida; algo que he encontrado y que tiene su importancia.

He encontrado y descubierto que la Iglesia no está separada del mundo; es el alma del mundo, la conciencia del mundo, la levadura del mundo.

Sobre todo después de la encarnación de Jesús, no puedo ya separar al bueno del malo, al inocente del malvado, a Zaqueo de Pedro, a la adúltera de los apóstoles.

Es todo una sola cosa que se llama Iglesia, por la cual ha muerto Jesús, por la cual la una está en función del otro.

El pueblo de Dios es un pueblo de santos, de profetas, de sacerdotes y, al mismo tiempo, un pueblo de pecadores, de adúlteros y de publicanos.

De muchacho veía la Iglesia separada del mundo. Ahora la veo de modo muy diverso.

Y si estoy atento he de decir que, si la veo diversamente, es porque he aprendido a verme diversamente.

Aquí está el misterio.

Esta mezcla de bien y de mal, de grandeza y miseria, de santidad y pecado, de Iglesia-mundo, en el fondo soy yo.

Todo está en mí. En mí vive el mundo y vive la Iglesia.

Existe capacidad de mal y nostalgia de santidad, naturaleza corrompida y gracia santificante; está Adán y está Cristo.

Y como en mí, lo mismo en todos.

Está el misterio Iglesia-mundo.

Está la obra del Padre que ha hecho de mí una

"casa de oración", y mi obra diabólica ha sido capaz de transformarla en una "cueva de ladrones".

SI ES ASI, muchas cosas deben cambiar.

Si es así, yo Iglesia en mi visibilidad debo presentarme de modo distinto ante el mundo.

No debo presentarme como santo ante los pecadores, como justo ante los injustos, como puro ante los impuros.

Debo estar atento a no subir a un púlpito para predicar con demasiada facilidad a los demás, y con tanta seguridad dar directrices luminosas.

Es difícil separar en mí el espesor del pecado de Adán de la transparencia de la profecía de Jesús.

Es orgullo sentirse seguro "en la casa de la oración" y no tener en cuenta el reproche de Cristo: "La habéis convertido en una cueva de ladrones".

No temamos decirlo. Las tremendas palabras de Jesús a propósito del templo no se referían sólo al templo de Jerusalén, al que preparaba su muerte, sino que se refieren a cada uno de nosotros y a cada una de nuestras iglesias. Cada uno de nosotros puede convertirse en una cueva de ladrones, y cada una de nuestras iglesias puede serlo igualmente.

¿Quién nos autoriza a pensar que después de Jesús el hombre es ciertamente incapaz de pecar? ¿Que la Iglesia no corre ya el peligro de trocar la oración por el dinero?

¿ENTONCES?

¿Qué debo hacer?

Tengo la impresión de que lo primero que debo hacer es cambiar de actitud. Si es verdad que en mí cohabitan pecado y santidad y que no puedo separar la realidad Iglesia de la realidad mundo, he de ser más humilde al considerar las cosas que ocurren a mi alrededor; no puedo juzgar con tanta ligereza a los demás como portadores del pecado del mundo y sentirme, como Iglesia, siempre inocente.

¡No soy inocente del pecado del mundo!

Si alzo la voz con tanta facilidad contra los pecadores, con idéntica facilidad deberé acusarme de las infinitas responsabilidades que me atañen.

¡Qué cosas tan extrañas ocurren en las iglesias!

Se diría que no se lee el evangelio, o al menos que no se lo comprende. Sin embargo, es así, y todo el mundo puede comprobarlo.

Escuchando las predicaciones normales de la parroquia, de la diócesis y también de más arriba, se tiene la clara impresión de que son siempre los otros los que pecan, mientras que nosotros, como Iglesia, somos siempre inocentes.

La última época, la de cristiandad barroca y campesina, nos ha dejado en herencia la incapacidad de confesarnos ante nuestros subordinados.

Si somos padres o maestros, nos cuidamos muy mucho de decir nuestros pecados ante los hijos y los alumnos.

Mientras que se ha insistido siempre en la necesidad de la confesión para los fieles, se ha establecido la costumbre —casi inconsciente— de enseñar a pensar que el pecado es imposible en la autoridad y el poder.

Pero la realidad no es así; y estoy seguro de que en esta renovación en marcha inmensa y profunda posterior al Concilio, una de las grandes cosas que hay que revisar y repensar es la postura de la Iglesia frente al mundo.

En el fondo se trata del encuentro entre pecado y santidad; de la participación en la asamblea litúrgica de Jesús con la Magdalena; de Pedro, que ha hecho traición, con Juan que está de pie junto a la cruz cerca de María.

Se trata de la misión misma de la Iglesia como capacidad recibida de Jesús de comunicar y reconciliar.

No es una cosa sin importancia.

Para mí, es el centro de toda la misión de Jesús.

El abrazo que nos propone es capaz de renovar todas las cosas. Y en primer lugar, mi existencia.

Yo no me conmuevo cuando comulgo. Pero cuando logro confesarme en serio, entonces lloro.

No es fácil confesarse en lo profundo de nosotros mismos; pero cuando lo hacemos, la conversión está en marcha.

LA VERDADERA revolución del alma, la auténtica capacidad de cambiar de rumbo, sólo puede ocurrir cuando me confieso.

Que soy pecador, lo sé; y el que me lo recuerda no me dice gran cosa.

Pero cuando tomo conciencia de mi mal y grito ante todos mi pecado, entonces sucede algo verdaderamente serio.

Para Zaqueo, el momento más serio de su vida fue su confesión delante de todos.

Desde aquel momento, todo fue nuevo para él.

Todo estaba claro delante de todos a plena luz del día.

¡Qué extraña se me antoja la actitud de algunos que insisten tanto en la confesión auricular, como si fuese la panacea de los cristianos!

No es que no entienda la importancia de la dirección espiritual y de la confesión personal de los pecados.

La confesión auricular fue inventada por la Iglesia para ayudar a nuestra debilidad y pobreza.

Dado que no somos capaces y que no hemos llegado a la madurez y a la humildad de gritar nuestro pecado a la asamblea ante toda la Iglesia, en su misericordia nos sale al encuentro, facilitándonos el esfuerzo de sacar el sapo que hay en nosotros en el silencio de un confesionario.

Sin embargo...

Sin embargo...

Miremos cómo ocurren las cosas en el evangelio cuando pasa el Espíritu del Señor.

¿Queréis ver tres confesiones serias?

Aquí tenéis la primera. Es de Pedro, que está desnudo delante del Señor en el lago: "Señor, aléjate de mí, que soy un pecador" (Lc 5,8). A su alrededor se encontraba la asamblea de la Iglesia naciente.

Otra confesión seria es la de Zaqueo en medio de la multitud, y no sólo de amigos: "*Señor, doy la mitad de mis bienes a los pobres, y si he defraudado a alguien, le restituyo cuatro veces más*" (Lc 19,8).

Pero la confesión más hermosa y dramática la encontramos en el Calvario en un auténtico ladrón.

Lucas nos la refiere así: "Nosotros (el ladrón se dirige a su compañero ladrón, colgado como él en la cruz) justamente somos condenados porque recibimos lo merecido por nuestras obras; en cambio, éste no ha hecho mal alguno". Y añade esperanzado: "Jesús, acuérdate de mí cuando entres en tu reino" (Lc 23,41s).

La absolución total por parte de Jesús es la digna conclusión de la más digna confesión que un moribundo podía hacer.

ES DIFICIL confesarse. Ciertamente es más difícil que comulgar o que recibir la confirmación.

Pero es importante; especialmente, confesarse en serio.

Debo decir humildemente que me he confesado de manera regular todas las semanas, de acuerdo con la praxis de mis tiempos y, sobre todo, de mi estado religioso.

Pero he de añadir que todavía no había entrado en el confesonario, y ya había pensado el truco y las palabras para librarme en conciencia de mis pecados, arreglándomelas para hacer comprender lo menos posible al confesor.

¿Y qué decir de las confesiones hechas para demostrar que era un buen chico?

¡Pobre de mí!

Perdonad mi debilidad; pero perdonadme también si me atrevo a decir a los obispos que han de congregarse para el sínodo sobre la reconciliación: "No insistáis demasiado en el confesonario; insistid más en el valor de confesar y de confesarse en la asamblea litúrgica".

Y fuerte. Y, si es posible, con palabras claras.

Y ya que estamos ante un asunto difícil, muy difícil, echadnos una mano con vuestro ejemplo.

¿Por qué ha de confesarse el siervo y no el amo?

¿El alumno y no la maestra?

¿El niño y no el padre?

¿El fiel y no el párroco?

¿El último pecador del pueblo de Dios y no el primero?

Estará justificado por la historia y por los siglos barrocos, que nos han enseñado en todos los tonos que no se puede tocar a la autoridad, pero... ¡qué precioso fue para mí oírle al papa Juan pedir perdón a los judíos por los sufrimientos que les han ocasionado los cristianos, y cuánto bien me ha hecho oírle afirmar al papa Pablo que el proceso de Galileo fue injusto!

¿Y qué decir cuando el papa Wojtyla se ha confesado en España de los pecados cometidos por la Inquisición española?

Esas son confesiones que hacen bien, liberan la conciencia, ayudan a comprender lo que es el hombre y nos estrechan más fuertemente con la Iglesia. Y, en el fondo, nos hacen encontrar lo que buscamos: al mismo Dios.

Jamás he comprendido mejor que en el momento de la reconciliación quién es Dios.

Despedida

SE IMPONE YA. Hay un texto de los Salmos que dice así: "Los años de nuestra vida son setenta, y si somos fuertes, ochenta" (Sal 90,10).

Viene aquí a cuento. No me resulta difícil aceptar estas palabras.

Os diré también que no me interesa ya continuar. Aunque sé que el don de la vida es un gran don, el don de la muerte es más grande.

No os sorprendáis por mis palabras. Parecen extrañas, pero no es así.

Os he confesado en todos los tonos que creo en Dios y que a este trabajo de creer he consagrado toda mi existencia.

Pues bien, justamente al creer he llegado a una conclusión que me complace poner como broche de este libro sobre mi fe.

Que Dios ha hecho grandes cosas es indudable, y lo repetimos continuamente en nuestras asambleas litúrgicas: "Ha hecho los cielos con sabiduría y la tierra", que no es poco.

Ha hecho las estrellas y las cuenta por el nombre (Sal 147,4).

Ha hecho al hombre y lo ha querido como hijo suyo.

Ha hecho el Reino y nos ha destinado a él.

Pues bien, entre todas las cosas buenas y hermosas que ha hecho, ha hecho una hermosísima: ¡la muerte!

Oírlo decir así por primera vez nos hace arrugar la frente o, al menos, ponerlo en entredicho.

Pero no es así, y voy a explicároslo.

Id un día de sol a un asilo, es decir, a un lugar donde el amor refinado de tantos hijos de hoy ha amontonado a los ancianos.

¿Qué os sugiere el lugar?

¿Qué os inspiran tantos miembros deformados, tantas miradas apagadas, tanto sufrimiento patente?

A mí me sugieren una sola cosa:

"Oh muerte dichosa, ven, ven, ven,
y no tardes".

Sé que los más piadosos de vosotros me dirán que también un solo día de esa vida cuenta para "completar lo que falta a la pasión de Cristo"; lo sé, creo en ello también yo y acepto desde ahora cuanto Dios haya dispuesto respecto a mí.

¡Lo sé!

Pero mi pensamiento apunta a otra parte, y no me lo podéis reprochar.

He descubierto que, entre tantas cosas hermosas y buenas que Dios ha hecho, una no es menos bella; incluso, según decía, es hermosísima; y es la muerte.

¿Por qué?

Porque me ofrece la posibilidad de comenzar de nuevo; me ofrece la posibilidad de ver "cosas nuevas".

En ningún momento como en ése comprendo las palabras de la Escritura: "Yo hago nuevas todas las cosas" (Ap 21,5).

No es que ame la muerte porque liquida mis últimas fuerzas; amo la muerte porque hace "nuevas todas las cosas".

Al contemplar a un anciano babeando y tembloroso, me esfuerzo por imaginarlo con la carne de un niño feliz; al fijarme en una mujer que soporta como una tragedia la fealdad y la desolación de su vejez, como fruta del tiempo, empleo toda mi fantasía para soñarla como una adolescente que corre por los prados cuajados de flores al encuentro del amor.

Amo la muerte porque me devuelve la vida.

Amo la muerte porque creo en la resurrección.

¡Esa sí que me interesa!

¿De qué servirían todas mis fatigas por creer, todo mi esperar contra toda esperanza, si al llegar este momento aceptase la nada o, peor, la inmovilidad o la esclerosis del tiempo?

No, no lo acepto, sino que os digo, mejor, os grito: "¡Creo en la vida eterna!"

Creo en mi carne eterna de niño inmortal.

Creo que correré como un crío al encuentro de mi Dios; como cuando, después de las horas de colegio, corría como loco al encuentro de mi padre, que iba a buscarme para llevarme a pasear por los prados a orillas del Po.

PERO MAS AUN creo en la muerte, porque al fin veré el Reino que aquí abajo sólo he entrevisto y soñado.

Veré a la Iglesia en su transparencia final.

Volveré a ver a mi madre.

Volveré a ver a mis amigos.

Veré la justicia.

Veré el banquete.

Veré a los hombres finalmente en paz y capaces de amarse.

¡Veré a Cristo!

Aquí sé que quedaré deslumbrado por su belleza y ya no me apartaré de él.

También porque, como el "Cordero inmolado", ha sido hecho digno de abrir los sellos (Ap 5,3).

Y los abrirá.

Y leeremos todos los misterios, conoceremos el porqué de la historia, la sucesión de las generaciones, el porqué de tantas lágrimas y de tanta sangre.

Quien volverá las páginas del libro será María de Nazaret, la única criatura digna de ayudar a su Hijo a explicarnos las cosas.

Mirad que no estoy soñando; estoy leyendo mi fe, mi esperanza.

Por eso os digo que la muerte es un gran invento de Dios.

¿Qué seríamos nosotros sin la muerte?

¿Pero os quedan ganas de seguir viviendo en el sanatorio en que os han metido los hombres con todo su amor y sus píldoras?

Yo no.

E invoco la muerte como un paso.

Ella será mi pascua.

Ella será la puerta del cielo.

Ella será la resurrección.

Y ahora voy a comunicaros un secreto que he descubierto en estos últimos tiempos. Estoy seguro de que cuando el mazo de la muerte me aplaste como una aceituna, en ese instante comprenderé todos los porqués de la vida; en ese instante diré: "Ahora comprendo por qué la muerte es esta gran realidad del cosmos entero. En ella se escondía el secreto mismo de la vida".

Y un enorme "¡Oh!" maravilloso brotará de todo mi ser.

No tiembles entonces, alma mía, ni tengas miedo.

Mira delante de ti y sonríe una vez más.

Si el Espíritu se posó sobre el caos al principio y Dios creó el universo, ahora vuelve a posarse para hacer nuevas todas las cosas.

Precisamente porque creo en Dios sé lo que es la muerte y no puede darme miedo.

O al menos, el miedo que me da es solamente psicológico; que también tiene su razón de ser, a fin de que sienta yo más el desgarrón y más clara la diferencia.

Ven, pues, muerte, ¡mi muerte!

Te acogeré como amiga; te abrazaré como a hermana.

Te saludaré como a madre.

No te pido que no me hagas sufrir, porque el recuerdo de la muerte de mi hermano Jesús me sugerirá al menos permanecer callado y aceptar.

Te pediré que tengas compasión de mi debilidad.

Te pediré que me hagas solidario de todos mis hermanos que mueren en el dolor.

Te pediré que me ayudes a olvidar todos mis pecados y a creer en la misericordia de Dios.

Te pediré que te des prisa; sí, eso te pediré.

Pero, más que ninguna otra cosa, te pediré que me des en seguida tu amor.

AQUI ABAJO, al dejar lo demás, me han quedado tres cosas que he intentado vivir: "fe, esperanza, caridad" (1 Cor 13,13).

En la fe he conseguido una pizca. Siempre me ha gustado la fe, como un gran riesgo que se corre, y me sentía feliz de jugarla toda como una carta preciosa que tenía en la baraja.

En la esperanza me ha sido más fácil, porque mi madre me infundió en la sangre su indomable optimismo, sus ganas de cantar y de vivir.

¿En la caridad; en el amor, como decimos nosotros?

Ahí ha estado mi punto débil.

No he conseguido gran cosa; apenas para entender lo que podía ser la dicha del servicio y el don total de sí.

La enérgica expresión de Pablo: "Y aunque tuviera tanta fe que trasladara las montañas, si no tuviese caridad nada soy" (1 Cor 13, 2), me ha atormentado siempre y hasta me ha hecho llorar.

En mi infinita incapacidad de amar, Dios me ha revelado lo que era la locura de Dios.

Sí, me ha hecho ver entre las tinieblas de mi egoísmo y los destellos deslumbrantes de su amor.

¡Qué contraste entre la pobreza de amor del hombre y la locura de Dios!

¡Cuánto he sufrido en la oscuridad de mi racional manera de juzgar las cosas!

Y ¡qué clara estaba en mí la visión de la "salida de la seguridad" que me podía salvar: la locura por amor!

Pero no he sabido abrirla, bloqueado por el miedo a perderlo todo. Tenía realmente la impresión de que al darme... lo perdía todo.

Sin embargo, ¡lo hubiera ganado todo!

Como tú, Jesús, en el Calvario.

Ni siquiera he sido capaz de pedir, como Francisco en el monte Alverna: "Señor Jesús, yo te pido que me concedas dos gracias antes de que muera.

La primera, probar en mi alma y en mi cuerpo, en cuanto sea posible, los dolores que tú, dulce Jesús, probaste en la hora de tu acerbísima pasión.

La segunda, sentir en mi corazón, cuanto me sea posible, aquel extraordinario amor que tú, Hijo de Dios, nos has tenido a nosotros pecadores hasta el punto de padecer tu pasión".

No, Dios mío; no he sido capaz.

Y por eso deseo morir.

Para enloquecer de una vez bajo el mazazo de tu Espíritu.

Para superar la barrera de mi límite insalvable.

Lo que no he sido capaz de hacer aquí cuento con hacerlo en mi Pascua, cuando al final tú pases por mi ser y lo quemes como en el fuego.

Qué alegría, Señor, esta locura tuya de amor. Cuando pienso que también a mí me la transmitirás, vislumbro la realidad del Reino como paso de lo humano a lo divino, a lo cual nos preparas, y la alegría de vivir eternamente contigo.

¿QUE MAS DECIROS en mi despedida, amigos de siempre?

No sé.

¿Deciros que os esperan tiempos difíciles? No es necesario; todo el mundo lo sabe.

Hasta las piedras hablan. Hay, sin embargo, dos cosas de las que debéis guardaros con especial atención, porque poseen la capacidad de aumentar el índice de aburrimiento y de tristeza que reina ya como soberano en el mundo, y que son contrarias a la vida y sumamente peligrosas: el hombre que no trabaja, que no se compromete ya; la mujer que no quiere hijos.

Para mí, son éstos signos de un mañana particularmente espantoso.

Cuando un joven ya no siente la necesidad de construir, de hacer, de comprometerse, es como si le faltase la fuerza vital, el resorte de la existencia.

Y peor todavía cuando una mujer joven no sueña ya con un hijo, y hasta lo organiza todo para no tenerlo. Habrá de atravesar espacios muy amargos; se lo recuerdo.

No os lo aconsejo. Animaos; resistid a estas tentaciones propias del mundo moderno, un mundo que se está pudriendo en sus raíces paganas.

No afrontéis la vida sin soñar con construir una casa donde vivir, una vocación en la que realizaros, niños con los cuales jugar.

Si no, os veréis tentados en la fe. Es cosa fácil en un mundo en que el hombre ha conseguido llegar a la luna con la capacidad de su inteligencia y transformar la tierra en una "camorra" única, inaferrable con su corazón enfermo.

Cuando seáis tentados, no aflojéis el paso; Dios os ayudará.

Puede que para ayudaros os dé un poco de pobreza...; pero la verdadera, no la romántica de los cristianos europeos de mi tiempo.

Puede también que se vea obligado a volveros al Egipto de la antigua esclavitud o incluso a la tremenda soledad de Babilonia.

Ocurra lo que ocurra, no aflojéis el paso.

Todo pasa; Dios permanece para siempre.

Para mí ha pasado, y tengo la impresión de habérmelas arreglado.

Pero si he vencido es porque Dios ha vencido; y si vencéis vosotros es porque él vencerá en vosotros.

Recordemos juntos las palabras de Jesús cuando se despide de los suyos:

"No se turbe vuestro corazón. Tened fe en Dios" (Jn 14, 1).

AHORA, a modo de conclusión, leamos juntos una de las últimas páginas del Apocalipsis, donde dice:

"Vi un cielo nuevo y una tierra nueva, porque el primer cielo y la primera tierra han desaparecido, y el mar ya no existe.

Y vi a la ciudad santa, la nueva Jerusalén, bajar del cielo, desde Dios, dispuesta como una esposa ataviada para su esposo.

Y oí entonces una gran voz que salía del trono: "He aquí la morada de Dios con los hombres. El habitará entre ellos y ellos serán su pueblo y él será el Dios-con-ellos. Y enjugará toda lágrima de sus ojos; no habrá más muerte, ni luto, ni clamor, ni pena, porque las cosas de antes han pasado" (Ap 21,1-4).

La respuesta se da en el espléndido final:

"Sí, vengo en seguida". Amén.

¡Ven, Señor Jesús!

La gracia del Señor Jesús sea con todos vosotros. Amén (Ap 22, 20).

Indice

OBRAS DE CARLO CARRETTO EN EDICIONES PAULINAS

MAÑANA SERA MEJOR
256 págs. - 17.ª edición

MAS ALLA DE LAS COSAS
248 págs. - 15.ª edición

CARTAS DEL DESIERTO
208 págs. - 12.ª edición

LO QUE IMPORTA ES AMAR
256 págs. - 11.ª edición

PADRE, ME PONGO EN TUS MANOS
248 págs. - 10.ª edición

DICHOSA TU QUE HAS CREIDO
152 págs. - 8.ª edición

YO, FRANCISCO
208 págs. - 9.ª edición

YO, FRANCISCO (álbum)
96 págs. - 1.ª edición

HE BUSCADO Y HE ENCONTRADO
192 págs. - 5.ª edición

Novedad 1985:

¿POR QUE, SEÑOR?
El dolor, secreto escondido en los siglos

ULTIMOS TITULOS PUBLICADOS

HISTORIAS DE JESUS, por Francisco de la Calle. 160 págs.

TRAS LAS HUELLAS DE MAXIMILIANO KOLBE, por Jean-F. Villepelée. 160 págs.

FRANCISCO DE ASIS, por Victoriano Casas. 296 págs.

EL ESPIRITU NOS REVELA A JESUS, por S. Falvo. 216 págs. 2.ª edición.

METAFORA Y MISTERIO DE MARIA, por José María Lorca. 280 págs.

VIVIR EN ALABANZA, por Vicente Borragán. 240 págs. 2.ª edición.

PROFETAS EN EL DOLOR, por José Vico Peinado. 192 págs. 2.ª edición.

ALABARE A MI SEÑOR. La alabanza como estilo de vida, por Juan M. Martín-Moreno. 144 págs. 3.ª edición.

EL PADRENUESTRO, por Leonardo Boff. 168 págs. 3.ª edición.

UN CAMINO DE EVANGELIO Y LIBERTAD, por Javier Garrido. 168 págs. 3.ª edición.

MIS HERMANOS LOS PSICOTICOS, por D. Casera. 168 págs.

LA BARCA VARADA. Parábola de una búsqueda y un encuentro, por Vicente Serrano. 112 págs. 2.ª edición.

POKITAKOSA. Vida de Basilio Llanillo García, por Lucio del Val. 176 págs.

NUESTROS ABUELOS, por Alfonso Francia. 328 págs.

VIVIR Y CONVIVIR. Al habla con los mayores, por Amalia de Miguel. 160 págs.